CLÁSICOS CASTELLANOS

RUIZ
DE ALARCÓN

TEATRO

EDICIÓN, PRÓLOGO Y NOTAS DE ALFONSO REYES

MADRID
EDICIONES DE «LA LECTURA»
1918

PRÓLOGO

I

Sus padres fueron Pedro Ruiz de Alarcón
—hijo de García Ruiz y de doña María de Valencia — y doña Leonor de Mendoza — hija de
Hernando de Mendoza y de María de Mendoza—.
Nace en Méjico, capital de la Nueva España,
donde estudia Artes y prepara el bachillerato en
Cánones. (1) Sale para España en la flota de
Juan Gutiérrez de Garibay, año de 1600, y llega
a Sevilla a mediados de agosto. (2)

El 25 de octubre de 1600 es bachiller en Cánones por Salamanca, y el 3 de diciembre de

---

(1) Hizo en Méjico la probanza de diez lecciones, y
no en Salamanca, como suponía L. Fernández-Guerra.
Acabó en Méjico cuatro cursos de Cánones y parte del
quinto, que completó en Salamanca.

(2) No por mayo de 1600, flota de Francisco Coloma,
como lo creyó L. F.-G.

21839

1602, bachiller en Leyes. El veinticuatro de Sevilla Gaspar Ruiz de Montoya, su pariente, le
fija una pensión de mil seiscientos cincuenta reales al año para auxiliar sus estudios. En 1606 se
encuentra en Sevilla, (1) donde ejerce como abogado, aunque sin el título, según lo tolera la costumbre. (2) Intenta salir para las Indias (1607)
en la servidumbre de fray Pedro Godínez Maldonado, obispo de Nueva Cáceres, en Filipinas;
pero se suspende el viaje de la flota, solicitados
algunos barcos mercantes para combatir con el
holandés. (3) En 12 de junio de 1608 sale Alarcón para la Nueva España, acompañado de su
criado Lorenzo Morales, flota al mando del general don Lope Díez de Aux y Almendáriz, que
consta de unos sesenta a setenta navíos. La flota
llegó a San Juan de Ulúa el 19 de Agosto. (4)

(1) Está desechada la hipótesis de las relaciones de
Alarcón y Cervantes en Sevilla.

(2) "Ya los hidalgos se llaman caballeros; los estudiantes, licenciados..." Quevedo, Rivadeneyra, XXIII,
435-436.

(3) F. Rodríguez Marín, *Nuevos datos para la biogra-
fía... de don Juan Ruiz de Alarcón*. Madrid, 1912-13.
Idem, *Discurso académico sobre Mateo Alemán*, 2.ª ed.,
Sevilla, pág. 38.

(4) Mateo Alemán, *Sucesos de fray García Guerra*
(Méjico, 1613), *Revue Hispanique*, 1911. — Luis Cabrera,
Relaciones..., 1599-1614, Madrid, 1857, pág. 342. — Bar-
tolomé de Góngora, *El Corregidor Sagaz*, ms. núm. 17.493,
Bibl. Nac. de Madrid, fol. 40 vto.—Iba Alarcón en la nao
maestre *Diego Garcés*, y Alemán, en la *Tomé García;* no
hubo, pues, los amenos coloquios a bordo que imaginara
L. F.-G. Tampoco salió la flota el 31 de marzo de 1608.

Observa Icaza que en esta flota iba el arzobispo
de Méjico, y después virrey, fray García Guerra,
en cuyo séquito pudo hacer el viaje Alarcón, ya
que en el del otro Prelado no pudo ser. (1)

En 21 de febrero de 1609 recibe Alarcón el
grado de Licenciado en Leyes por la Universidad de Méjico. Y al mes siguiente se le dispensó
la pompa, por causa de pobreza, para recibir el
grado de Doctor, que no llegó a obtener, sin embargo. Se opuso después, sucesivamente, a las
cátedras de Instituta, Decreto y Código de la
Universidad de Méjico, entre 1609 y 1613, y ni
fué aprobado en todas—contra lo que deja entender el informe que sobre él presentó al Rey
el Consejo de Indias, 1.º de julio de 1625—, ni,
en todo caso, logró ganar cátedra alguna. Abogado de la Real Audiencia de Méjico, habría llegado a Teniente de Corregidor de aquella ciudad, según la citada consulta del Consejo de Indias; pero a esto opone Rangel una prueba ne-
gativa. También ha demostrado Rangel que
Alarcón volvió a España a fines de mayo de
1613. (2)

---

(1) F. A. de Icaza, "Mateo Alemán, su historia y sus
escritos..." *Revista de Libros,* Madrid, 1 junio 1913.

(2) *Bolet. de la Bibl. Nac. de México,* diciembre de
1915, pág. 50: "Habiendo registrado minuciosa y cuida-
dosamente las Actas de Cabildo del Ayuntamiento de la
ciudad de México, desde el año de 1603 hasta el de 1613...
no encontramos mencionado para nada el nombre de Alarcón, ni como teniente de corregidor, ni como corregidor,
ni siquiera como letrado de la ciudad..." V. también
págs. 56 y sigts.

Vino, según lo da a entender en la dedicatoria
de su *Parte primera* (Madrid, 1628), a pretender a
la Corte, y entró en la vida literaria ruidosamente.
Se mantuvo alejado de Lope y fué amigo, y tal
vez colaborador, de Tirso de Molina. Su figura
de corcovado hace de él blanco de las sátiras.
Protegido por don Ramiro Núñez Felípez de
Guzmán, (1) yerno del Conde-Duque de Olivares, y acaso también por su pariente y homónimo
el señor de Buenache y de la Frontera, va aban-
donando la vida literaria, y obtiene plaza de Relator interino en el Consejo de Indias (17 de junio de 1626), que luego se transforma en titular
(13 de junio de 1633). Por los documentos que
en su *Bibliografía Madrileña* publica Pérez Pastor, parece que de tiempo atrás venía dedicándose
a negocios mercantiles. En 1636 Fabio Franchi
pide a Apolo que haga buscar por toda la tierra
a Ruiz de Alarcón y le exhorte a no olvidar el
Parnaso por América, ni la ambrosía por el cho-
colate. (2) Hacia el fin de sus años vivía con
cierta holgura en la calle de las Urosas; tenía
coche, criados y dinero para sus amigos. (3) "Ya
ni por capricho—comenta Fernández Guerra—,
visitaban las musas un solo día el aposento de la
calle de las Urosas." (4) No es posible creerlo:

---

(1) V. sobre éste: Lope, edic. académica, I, 695 y sigts.
(2) *Essequie poetiche* a la muerte de Lope.
(3) V. su testamento en los apéndices.
(4) *Don Juan Ruiz de Alarcón y Mendoza.* Madrid,
1871, pág. 451.

las letras fueron la verdadera alegría de su vida.
Amigo de la sociedad y la buena conversación,
como lo revela su teatro, siempre encontró que
la sociedad le cerraba sus puertas, castigando en
él errores de la naturaleza. Del mundo agresivo,
de la mendicidad literaria, se aleja en cuanto
puede. Acaso—y esto es lo mejor—no le conten-
taban del todo los gustos de su tiempo.

Tuvo de doña Angela Cervantes una hija natural, llamada Lorenza de Alarcón. Nada sabemos más de este hogar.

Yace Alarcón en la parroquia de San Sebastián. Pellicer, entre bufonadas frías, nos anuncia en sus *Avisos históricos* la muerte del poeta:
"Murió don Juan de Alarcón, poeta famoso, así
por sus comedias como por sus corcovas..."

II

SU FIGURA

Vienen reproduciendo los libros cierto retrato
de Alarcón, que se conserva en la iglesia parroquial de Tasco, ciudad meridional de Méjico,
donde residía su familia. Fernández Guerra lo
suponía pintado hacia 1628, sobre una cabeza de 1609 a 1611, aunque con un cuerpo gi-
gantesco, inventado por el pintor. Lo cierto es
que la cartela del retrato está dibujada en el
gusto del siglo XVIII. Además, Rangel ha robus-

tecido con documentos la probabilidad de que el
retrato sea una invención de este siglo. (*Boletín
de la Biblioteca Nacional de Méjico,* noviembre
de 1915, págs. 2 y sigts.). No hay, pues, hasta
ahora, iconografía auténtica de Ruiz de Alarcón, y en los retratos literarios que de él conser-
vamos debe descontarse siempre un elemento de
exageración satírica. En lo que sátiras y documentos oficiales concuerdan es en la corta estatura de Alarcón. Sus corcovas son ya proverbia-
les; pero los testigos de informaciones se abs-
tienen, por urbanidad, de aludirlas.

Ante todo, y según las coplas burlescas que le
dirigieron, era corcovado de pecho y espalda.
Era barbitaheño, o de barba bermeja, y tenía una
señal de herida en el pulgar de la mano derecha.
(Francisco Rodríguez Marín, *Nuevos datos,* 12;
información de 23 de mayo de 1607.)

Los contemporáneos, según alusiones más o
menos vagas, recogidas por Fernández-Guerra,
lo comparaban, por su aspecto, a una mona.
Véase cómo hablan de su figura:

Entre los "Cuentos que notó don Juan de Ar-
guijo" (A. Paz y Melia, *Sales españolas,* II, 136)
se le alude así: "Hay en Madrid un hombrecito
muy pequeño, con dos corcovas iguales, llamado
don Juan de Alarcón, agudo y de buenos dichos.
Díjole Luis Vélez que parecía colchado con me-
lones, y que cuando lo veía de lejos no sabía si
iba o si venía."

El regidor Juan Fernández—el denostado por

Villamediana y cantado por Tirso en *La Huerta de Juan Fernández*—hizo esta quintilla:

> "Tanto de corcova atrás
> y adelante, Alarcón, tienes,
> que saber es por demás
> de dónde te corco-vienes
> o adónde te corvo-vas."

(*Poesías varias recogidas por Josef Alfay*, Zaragoza, 1654, pág. 77.)

Góngora le habla de "La que, adelante y atrás —gémina concha te viste". Don Antonio de Mendoza le llama "zambo de los poetas" y "sátiro de las musas". Montalván lo describe como "Un hombre que de embrión—parece que no ha salido". Quevedo le llama "Don Talegas—por una y por otra parte". Tirso, "Don Cohombro de Alarcón,—un poeta entre dos platos". Salas Barbadillo le dice "que él tiene para rodar—una bola en cada lado". Fray Juan de Centeno, "En el cascarón metido—el señor bola-matriz". Don Alonso Pérez Marino, "Baúl-poeta,—semienano o semidiablo". Finalmente, Luis Vélez de Guevara le dice: "... Por más que te empines,—camello enano con loba,—es de Soplillo tu trova" (1)

---

(1) *Poesías varias*, Alfay, pág. 38. Al reproducirse esta décima en la colección Rivad., vol. XX, pág. XXXIII *a*, y vol. LII, pág. 587 *a*, se ha escrito "soplillo" con minúscula. Lo escribo con mayúscula para conservar el equívoco probable; creo que se alude a Miguel Soplillo, enano de la Reina y sucesor del célebre Simón Bonamí (recordado éste por Góngora y por Suárez de Figueroa), que

Acaso lo alude Quevedo en el *Sueño de las ca-
laveras:* "Un abogado... que tenía todos los derechos con corcovas." Quevedo, además, escribió
una letrilla, en que le llama: "Corcovilla, poeta
juanetes, hombre formado de paréntesis, tenta-
ción de San Antonio, licenciado orejoncito, no
nada entre dos corcovas, zancadilla por el haz y
el envés", y otras diabluras. (1) En unas segui-
dillas de la época, con quevedesca complicación,
se le llama "profecía de Jerónimo Bosque", (2)
y se le hace decir:

figuró en la representación de *La gloria de Niquea,*
Aranjuez, 1622.—V. Villamediana, *Obras,* Zaragoza, 1629,
pág. 22, y *El Fénix Castellano, D. Antonio de Mendoza,*
Lisboa, 1690, pág. 435. Además, sobre Soplillo, v. J. O.
Picón, *Vida y obras de Don Diego Velázquez,* 1899,
apénd., pág. 182, documento sobre que la ropa de merced
que se dé a Soplillo ha de ser "a su medida". El lector
puede ver en el Museo del Prado (núm. 1234, *Felipe IV
y el enano Soplillo,* por Villandrando) el monstruo con
quien comparaban a Alarcón. También lo cita Góngora
en sus redondillas "Quisiera, roma infeliz":

> "Soplillo, aunque tan enano,
> no cabrá en vuestra avellana."

V. además, P. Beroqui, *Adiciones y correcciones al Catá-
logo del Museo del Prado. Bolet. de la Sociedad Castellana de Excursiones,* 1915, XIII, 146 *a.*

(1) Rivad., XX, pág. xxxi *b.* Sin embargo, el mismo
Quevedo ha dicho que a los "enanos, agigantados, con-
trahechos, calvos, corcovados, zambos y otros... fuera
inhumanidad y mal uso de razón censurar ni vituperar,
pues no adquirieron ni compraron su deformidad." Rivadeneyra, XXIII, 460 *a.*

(2) Rivad., XX, pág. xxxiv *a.*

A ningún corcovado
daré ventaja,
que una traigo en el pecho
y otra en la espalda.

....

Encontróme un amigo;
dijo: "No veo
si de espaldas viene,
o si de pechos."

Lope, en la dedicatoria de *Los Españoles en Flandes* (Parte XIII de sus Comedias, 1620), piensa en él, y escribe de los poetas ranas en la figura y en el estrépito, aludiendo injuriosamente a las gibas de Alarcón. (1) Y "Juanico", como él, se llama el personaje de *Los Corcovados,* entremés satírico que salió por aquellos años.

Suárez de Figueroa, en una de sus solapadas alusiones (*Pasajero,* alivio II), lo describe como de estatura mínima, muy velloso y con espesas barbicas, vistiendo "traje y atavío de caballerete, seda, cabestrillo, sortijuelas y cosas así", afectando actitudes de galán, entre quienes "es recibido... no estar con las piernas juntas, sino algo divididas, por el brío y gallardía de que así participa el cuerpo"; aunque—según él—más lo

_____

(1) En el *Laurel de Apolo* (1630) declara que Alarcón es "La máxima cumplida—de lo que puede la virtud unida". Más parece pulla que elogio. Compárese con estas palabras de Suárez de Figueroa: "Importa excluír de públicos oficios a sujetos menores de marca, hombrecillos pequeños, sin que obste el brocárdico del filósofo: *La virtud unida es más fuerte que la dilatada."*

hacía Alarcón por defecto que por uso; (1) re-
uniéndose en su casa a jugar con una "escuadra
de su metal, caballeros al vuelo o entre renglo-
nes", maldiciéndose cuando perdía, y excediendo
al más riguroso garitero cuando daba los naipes.
"Y entre sus amigos—añade—todo era mofarse,
todo escarnecerle, todo gestearle, pasando muy
buenos ratos con su figura." No es éste—ya se
ve—un retrato desinteresado y objetivo; ni podía esperarse de Suárez de Figueroa—aquella
triste alma.

Pero no cabe duda que la figura de Alarcón
era bastante grotesca. En una *Carta a don Diego
Astudillo Carrillo,* (2) donde se describe cierta
fiesta de San Juan de Alfarache (4 de julio de
1606), a que concurrió Alarcón, consta que era
éste de menos que mediana estatura y que, para
aumentar la risa, "prosiguiendo ridículos sujetos,
mostró su persona". Para el torneo de mascarada
con que acabó la fiesta, Alarcón se llamó *Don
Floripando Talludo, príncipe de la Chunga.* (3)

Años más tarde, en carta que parece escrita al
Duque de Sessa, dice Lope de Vega: "Hallé a la
señora doña Jacinta de Morales, madrina, como
un ángel, y a su padre con la niña, que parecía
el santo Simeón, tan envuelto como ella en las

---

(1) Al mismo defecto o mal de Alarcón parece aludir
Lope, *Obras,* edic. académica, I, 640, carta núm. 122.
(2) Rivad., XX, pág. xxviii.
(3) V. L. F.-G., pág. 32 y sigts., teniendo en cuenta
que ya nadie atribuye dicha carta a Cervantes.

mantillas; y como no descubría más de la cabeza, parecía a don Juan de Alarcón cuando va al estribo de algún coche." (1)

Parece cosa cierta que su deformidad le impidió algunos aumentos. Fernández-Guerra conjetura (pág. 132) que ella pudo contribuír a que no obtuviera las cátedras a que se opuso en Méjico. Se lee en la ya citada consulta del Consejo de Indias (1.º de julio de 1625) que, "aunque por sus partes era merecedor de que [el Consejo] le propusiese a V. M. para una plaza de asiento de las Audiencias menores, lo ha dejado de hacer por el defecto corporal que tiene, *el cual es grande para la autoridad que ha menester representar en cosa semejante*". Ya en cierto soneto de 1631 se le representa disputando con un alabardero, que no le deja entrar a la Plaza de Toros al lado del Consejo por no convencerse de que "cosa tan chica" pueda ser nada menos que relator. (2) Y ya decía Suárez de Figueroa, desde 1617, que "en todas las ciudades de Europa parece se desvelan en colocar en tales cargos las personas de más sabiduría, de más crédito y providencia, cuyas expertas canas, cuyo venerable aspecto, provoca en cuantos los miran estimación, respeto y decoro". Y añade, aludiendo acaso al

(1) *Obras,* edic. académica, I, 653 *b.* El autógrafo se conserva en la Real Academia de la Historia.

(2) *Ruiz de Alarcón y las fiestas de Baltasar Carlos, Revue Hispanique,* 1916, XXXVI, pág. 174.

ya pretendiente Alarcón: "Por ningún caso se
deberían recebir para puestos semejantes, particularmente en las Cortes, hombres pequeños..."
Cuenta después cómo Felipe II hubo de remo-
ver a un Corregidor de Málaga que, aunque sabio
y discreto, daba risa "verle tan chico y juntamen-
te tan bullicioso"; y concluye: "Síguese de lo
apuntado que si el chico, aunque bien formado y
capaz, debe hallar repulsa en lo que desea, si ha
de representar autoridad con la persona, mucho
mayor es justo halle el jimio en figura de hombre, el corcovado imprudente, el contrahecho ridículo, que, dejado de la mano de Dios, preten-
diere alguna plaza o puesto público." (1)

Este apasionado alegato, así como las últimas
palabras que de la consulta he copiado, corrobo-
ran las razones de Rangel sobre la imposibilidad
de que Alarcón haya sido Teniente de Corregidor de Méjico, ejerciendo con aceptación en ausencia del propietario y sentenciando muchas cau-
sas—como decía la misma consulta—. Bartolomé
de Góngora, en *El Corregidor sagaz* (folio 1 vto.),
dice que para tales cargos "suelen los Príncipes
escoger personas calificadas... y que su aspecto
sea grave y de gentil persona, porque así conviene al servicio de su Majestad"; y cita a Sé-
neca y a San Basilio sobre que "entre las abejas,
la más bizarra tiene el gobierno de la repúbli-

(1) *Pasajero*, alivio VI.

ca". Justo es recordar, a todo esto, que el mismo Bartolomé de Góngora era corregidor de Atitalaquia...

Grave estorbo para la vida el de don Juan Ruiz de Alarcón, y que puede explicar en parte la actitud de recelo mental que se nota en su obra. ¡Una corcova en el siglo XVII! Considérese que aquéllos eran tiempos en que lo cómico visual se destacaba a los ojos de los hombres con una fuerza que el moderno subjetivismo y el sentimiento moderno de la dignidad humana han atenuado. ¡Tiempos en que las moleduras de don Quijote daban menos compasión que risa, y en que "Guzmán de Alfarache" presume si los mozos habrán colgado a la ventera por los pies de un olivo y le habrán dado mil azotes, al verlos salir de una venta destemplados de risa! Evoluciones de la sensibilidad.

III

FAMILIA Y NOMBRES

Otra fatalidad más persiguió al poeta, que fué lo de los primeros pobladores de Nueva Espael empeñarse en recibir el tratamiento de *don*.

Según la consulta del Consejo de Indias, "su padre fué uno de los mineros de Tasco, de que resultó aumento a la Real Hacienda; y su agüe-

ña". (1) A creer lo que Suárez de Figueroa dice,
tal vez aludiendo al padre de Alarcón, "sólo tenía
por cuidado el buen viejo juntar dineros", y
"granjeó mediana hacienda". *(Pasajero,* II). (2)

En todo caso, su alcurnia era ilustre; era des-
cendiente del adalid Ferrán Martínez de Cevallos,
que ganó a Alarcón contra los moros en 1177;
de García Ruiz de Alarcón, defensor de la casa
de Trastamara contra la de Lancáster, y vencedor de Enrique *el Inglés* en 1390; y, sobre todo,
de los Mendozas—familia la más noble de España—, señores de Cañete, conquistadores de An-
tequera, Guadix, Granada, virreyes de Indias y
domadores de Arauco. (3) Siempre se preció
de su linaje, y aun llevó al teatro (especialmente
en *Los favores del mundo*) el elogio de sus ante-
cesores, salpicando sus comedias con orgullosos
recuerdos de sus apellidos. (4) Cuando vino a

---

(1) Según el acta matrimonial de los padres de Alarcón, el vecino de la Nueva España era el abuelo materno, Mendoza como el primer Virrey y tal vez su pariente, quien pudo trasladarse a las Indias buscando el apoyo del gobernante.

(2) Alarcón recibió dinero de Méjico alguna vez (Pérez Pastor, *Bibliogr. Madrileña,* doc. I); pero no hay que
dar a este hecho demasiada importancia.

(3) L. F.-G., págs. 1 y sigts. y 267.

(4) Quevedo, *Premáticas y aranceles generales* (Rivadeneyra, XXIII, 436 b): "Asimismo, que los Mendozas,
Enríquez, Guzmanes y otros apellidos semejantes que las
putas y moriscos tienen usurpados, se entienda que son
suyos como la "Marquesilla" en las perras, "Cordobilla"
en los caballos, y "César" en los extranjeros".

pretender a la corte, los usaba en apoyo de sus
pretensiones. Un don Juan de Luna y Mendoza
figura en *Los favores del mundo,* y estos apellidos, que aparecen en varias de sus comedias, los
reúne también la "doña Lucrecia" de *La Verdad
sospechosa.* El poeta buscaba el favor de los
grandes, y en sus obras se oyen constantemente
nombres de nobleza: Villagómez, Aragón, Herrera, Lara y Manrique, Figueroa, Toledo, Guzmán, Girón.

En 1617, Diego de Agreda y Vargas publica
una paráfrasis de Aquiles Tacio—*Los más fieles
amantes*—, que dedica precisamente a don Juan
de Luna y Mendoza, marqués de Montesclaros,
ex virrey de la Nueva España y gran mecenas
de los versos. Alarcón escribe para este libro
unos versos laudatorios, donde usa ya aquel famoso *don* que había de atraerle tantas burlas.

El implacable Suárez de Figueroa nos lo pinta
así, presa de la locura caballeril: "Animóle una
noche buenamente (pienso que muerta la luz) la
primer primicia desta locura, y amaneció hecho
un *don*..." Acaso lo alude también cuando al
hablar del "setentrional Bonamí", "pensamiento
visible, burla del sexo viril, melindrillo de naturaleza", le dice: "No obstante sea Micosía de
cuerpo tan abreviado, se hará, por extensión de
nombre, el mayor de la tierra."

En cierta censura de la época, atribuída a
Quevedo, se lee: "Los apellidos de don Juan cre-

cen como los hongos: ayer se llamaba *Juan Ruiz;*
añadiósele el *Alarcón,* y hoy ajusta el *Mendoza,*
que otros leen *Mendacio.* ¡Así creciese de cuerpo, que es mucha carga para tan pequeña beste-
zuela! Yo aseguro que tiene las corcovas llenas
de apellidos. Y adviértase que la *D.* no es *don,*
sino su medio retrato." (1) El doctor Mira de
Mescua le dice: "Alarcón, Mendoza, Hurtado,
don Juan Ruiz...", como si le cansara tan largo
nombre. Lope, en *El anzuelo de Fenisa* (1617):

> "Añadiremos un *don,*
> diremos que es caballero,
> y, aunque con poco dinero,
> tendrá mucha presunción."

Pero esta burla era frecuente, y los biógrafos
de Montalván citan el conocido epígrama de Quevedo contra éste:

> "El *doctor* tú te lo pones,
> el *Montalbán* no lo tienes:
> con que, quitándote el *don,*
> vienes a quedar *Juan Pérez.*" (2)

---

(1) Rivad., LII, 588 *b.*

(2) V. también Vélez de Guevara, *El diablo cojuelo,*
edic. Bonilla en la Soc. de Bibl. Madrileños, págs. 26-28
y 31-32. Aunque cita el apellido Mendoza, no creo que
aluda a Alarcón, que ya había muerto.—V. también Quevedo, en la *Visita de los chistes,* Rivad., XXIII, 336 *a:*
"Yo he visto sastre y albañiles con *don*"; y en la *Premática y aranceles generales* (ídem 436 *b*): "... advertido de
la multitud de *dones* que hay en nuestros reinos y repú-
blicas, y considerando el cáncer pernicioso que es, y cómo
se va extendiendo, pues hasta el aire ha venido a tenerle
y llamarse *don-aire...*"

El mismo Alarcón, en *Mudarse por mejorarse*
(II, 13 y III, 2) acusa a cierto Figueroa, escudero, de usar el nombre de la casa de Feria, y advierte:

> "No han de ser desvanecidos
> los pobres; que es muy cansado
> un hombre en humilde estado
> hecho un mapa de apellidos." (1)

Con todo, en *Las paredes oyen,* se representa
a sí mismo triunfante de los maldicientes, bajo el
nombre de "don Juan de Mendoza"; y en *La
prueba de las promesas,* II, 5, dice:

> "¿Remoqueticos al *don?*
> ¡Huélgome, por vida mía!
> Mas, escúchame, Lucía,
> que he de darte una lición
> para que puedas saber
> —si a murmurar te dispones—
> de los pegadizos *dones*
> la regla que has de tener:
> si fuera en mí tan reciente
> la nobleza como el *don,*
> diera a tu murmuración
> causa y razón suficiente;
> pero si sangre heredé
> con que presuma y blasone,
> ¿quién quitará que me *endone*
> cuando la gana me dé?...

---

(1) Ed. Barry (*La Verdad sospechosa.* Collec. Merimée, pág. xx, núm. 24), supone que se alude a Francisco
Guzmán de Mendoza y Feria, gentilhombre del Marqués
de Montesclaros en Méjico, a quien, en *Las paredes oyen,*
llama "Narciso", por alusión a su poema de este nombre.
(*Flores de varia poesía,* México, 1577).

Luego, si es noble, es bien hecho
ponerse el *don* siempre un hombre,
pues es el *don* en el nombre
lo que el hábito en el pecho." (1)

Sobre el derecho que tenía a sus apellidos ha
venido a tranquilizarnos la tardía publicación del
acta matrimonial de sus padres. Estos eran personas bienquistas en Méjico — como observa
Cotarelo—, puesto que cuentan entre los testigos a don Luis de Villanueva, oidor de la Real
Audiencia de Méjico; a don Francisco de Velasco y Sarmiento, caballero de Santiago, hermano de don Luis—el que fué segundo virrey de
la Nueva España—; a don Luis de Velasco el
segundo, primogénito del anterior y también virrey, primer marqués de Salinas y, más tarde,
presidente del Consejo de Indias; y, en fin, al
"opulento Alonso de Villaseca, fundador del Colegio de San Pedro y San Pablo, de Méjico".
"Eso explicaría — añade Cotarelo — la protección que luego dispensó a nuestro poeta el Marqués de Salinas." (2) Y, en efecto, este es el
único indicio de semejante protección, gratuita-
mente supuesta por Fernández-Guerra, y que

---

(1) Respecto al supuesto hábito de Alcántara concedido
a Alarcón véase, en contra, nota en los apéndices, y también *Revista de Filología Española,* IV, pág. 209, reseña
de la edic. de *No hay mal que por bien no venga,* de A.
Bonilla.

(2) V. el índice de documentos en el apéndice. También J. García Icazbalceta, *Un Creso del siglo xvi en México, Obras,* II, 435, edic. Agüeros, 1896.

ha padecido más al destruír Rangel la probabilidad de que Alarcón saliera de Méjico con el Marqués de Salinas. Con García Guerra volvió de España, a García Guerra dedicó su tesis de Licenciado en Leyes, llamándose su protegido; y, después de muerto García Guerra, abandona a Méjico para pretender en la Corte. Más fundado parece que García Guerra haya sido su protector, como dice Icaza.

De los padres de Alarcón nada más sabemos. Este, en 25 de mayo de 1607, declara (V. documento N, en el Apéndice) tener aún en la Nueva España su casa y sus padres. Que su padre haya muerto en 1617 es una quimera. Repecto a sus hermanos, pueden consultarse las páginas de Rangel (Doc. Y del Apéndice).

IV

VIDA LITERARIA

Comenzar la vida literaria de Ruiz de Alarcón por las fiestas de San Juan de Alfarache (año de 1606) es ir demasiado lejos y exagerar la importancia de sus pasatiempos de estudiante. Por otra parte, la vida literaria de Méjico parece completamente atraída en aquella época por el mundo de la Universidad. Fuera de las noticias sobre el grado de licenciatura, dispensa para la pompa del doctorado y oposiciones a cátedras, sólo sabemos que cuando se doctoró cierto Bri-

cián Díez Cruzate, el acostumbrado vejamen académico corrió a cargo de Alarcón; pero este vejamen se ha perdido. Entre 1609 y 1613 podrán
todavía encontrarse noticias sobre la vida de
Alarcón en la Nueva España, y las esperamos de
Rangel.

Entre tanto, la verdadera vida literaria de Ruiz
de Alarcón se desarrolla toda en la corte, del año
de 1613 en adelante. Una ruidosísima riña sirve
de fondo al apogeo de la Comedia. Lope de Vega
provoca idolatrías y rencores, y parece que todo
el ambiente se carga de pasión. El caso de nuestro poeta es, en medio de aquel mundo agitado,
un episodio sobresaliente. Conoció las burlas—ya
lo hemos visto—, las silbas en los teatros, a que
alude en varios lugares de su obra; y, en el proe-
mio de su "Parte segunda" (1634), advierte que
sus comedias "han pasado por los bancos de
Flandes, que, para las comedias, lo son los del
teatro de Madrid". Tuvo, seguramente, su hora
de vanagloria cuando los letreros rojos anuncia-
ban la representación de sus obras. Lo alude
Quevedo:

> "¿Quién a las chinches enfada?
> ¿Quién es en este lugar
> corcovado "de guardar",
> con su letra colorada?
> ¿Quién tiene toda almagrada,
> como ovejita, la villa?
>   —Corcovilla." (1)

(1) V. L. F.-G, pág. 196.

Y, asociado a Tirso de Molina, lo recuerda un viejo epigrama:

> "¡Víctor don Juan de Alarcón
> y el fraile de la Merced!
> (Por ensuciar la pared,
> que no por otra razón.)" (1)

En varios pasajes de sus obras se nota la pugna que mantiene con los poetas de su tiempo y contra las rutinas de la comedia: ya es una burla de los criados graciosos, ya de las damas disfrazadas de hombre para seguir a sus amantes, como en *Los Donaires de Matico*, de Lope (2); ya se queja de los murmuradores, con

(1) Véase Cervantes en *La Gitanilla,* edic. F. Rodríguez Marín de "La Lectura", 1914, pág. 48: "Y sacó de la faldriquera tres reales de a ocho, que repartió entre las tres gitanillas, con que quedaron más alegres y más satisfechas que suele quedar un autor de comedias cuando, en competencia de otro, le suelen retular por las esquinas: *víctor, víctor.*" Acaso esta costumbre tiene origen universitario; "así se celebraban, comenta F. R. M., los triunfos de catedráticos y graduados."

(2) Don Antonio Hurtado de Mendoza, *Más merece quien más ama,* II, 3:

> Un poeta celebrado
> y en todo el mundo excelente,
> viéndose ordinariamente
> de otro ingenio mormurado
> de que, siguiendo a un galán,
> en traje de hombre vestía
> tanta infanta cada día,
> le dijo: "Señor don Juan,
> si vuesarced satisfecho
> de mis comedias mormura,

alusiones que se han creído dirigidas contra Villamediana, Góngora, Suárez de Figueroa. Pero estas protestas contra los vicios de la sociedad no le son privativas, como tampoco las que levanta contra las rutinas del teatro: todos, en su tiempo—y aun el mismo Lope—, parecen protestar por fórmula contra la tiranía de una ley a la que, de hecho, se someten.

A la representación de *El Anticristo*, la gue-

> cuando con gloria y ventura
> novecientas haya hecho,
> verá que es cosa de risa
> el arte; y, sordo a su nombre,
> las sacará en traje de hombre,
> y aun, otro día, en camisa.
> Dar gusto al pueblo es lo justo:
> que allí es necio el que imagina
> que nadie busca doctrina,
> sino desenfado y gusto.

Pueden contener estas palabras, como dice L. F.-G., una respuesta a Ruiz de Alarcón; pero yo no las entiendo como él, antes veo en ellas una clara ironía contra los procedimientos de Lope. En cuanto al rasgo mismo de la mujer que se disfraza de hombre, abunda en la literatura de la época, y tampoco faltó en la realidad. Recuérdese el caso de *Las dos doncellas,* de Cervantes (Cfr. F. A. de Icaza, *Las novelas ejemplares,* 1915, págs. 203-204, número 119). Sobre la "Monja Alférez" hay una comedia de Montalbán (Cfr. G. W. Bacon en la *Revue Hispanique,* 1912, XXVI, 395).—En el *Atila Furioso,* de Cristóbal de Virués (1609), Flaminia, amante de Atila, aparece disfrazada de paje, y la reina se enamora de ella, engañada por el disfraz. Un engaño semejante hay en *El Peregrino,* de Lope. En el teatro del mismo Lope, y acaso más en el de Tirso, son frecuentes las mujeres disfrazadas de hombre.

rra contra Ruiz de Alarcón alcanzó extremos
lamentables. En un pasaje de *Las Venganzas del
amor*, de don Sebastián Francisco de Medrano
(*Favores de las Musas,* 1631, pág. 32), dice
Momo:

> Anden los poetas listos,
> y mírenme con temor,
> que para dar mal olor
> tengo aceite de Anticristos.

Y, al margen, anota el editor: "Alude a un
aceite de muy mal olor que echaron en una comedia del *Anticristo* de don Juan de Alarcón sus
émulos, por que no se acabara."

Añade Fernández-Guerra que "Diego de Vallejo—que hacía la figura del Anticristo—, o atu-
fado por el accidente, o medroso, no se atrevió
a volar por la maroma en la conclusión de la
tragedia, y retiróse al bastidor. Prolongada, o
más bien suspensa, la situación final, iba a hun-
dirse por completo el poema, cuando, atrevida,
lo vino a salvar la esbelta dama que tuvo a su
cargo el papel de Sofía. Luisa de Robles—que
había caído dentro, al fingirse mortalmente herida por el falso profeta—con prontitud arrebata
a Vallejo la corona y el manto de púrpura, rebó-
zase con él" y ejecuta la suerte a que Vallejo no
se atrevió. Entonces pudo escribir Góngora ese
soneto "Contra Vallejo, autor de comedias, porque, representando en una al *Anticristo,* y habiendo de volar por una maroma, no se atrevió,

y voló por él Luisa de Robles", soneto que comienza:

"Quedando con tal peso en la cabeza" (1).

Góngora, en carta a Paravicino, cuenta así el suceso:

"La comedia, digo *El Anticristo* de don Juan de Alarcón, se estrenó el miércoles pasado. Echáronselo a perder aquel día con cierta redomilla que enterraron en medio el patio, de olor tan infernal, que desmayó a muchos de los que no pudieron salirse tan aprisa. Don Miguel de Cárdenas hizo diligencias, y a voces envió un recado al vicario para que prendiese a Lope de Vega y a Mira de Mescua, que soltaron el domingo pasado; por que prendición (*sic*) a Juan Pablo Rizo, en cuyo poder se encontraron materiales de la confestión..." (2)

Quedan huellas de incidentes entre Alarcón y Anastasio Pantaleón de Rivera. Juan Navarro de Cascante escribía:

> Con versos de corcovón
> a Alarcón tanto le espanta
> Pantaleón, que a Alarcón,

---

(1) Véase L. F.-G., pág. 291.
(2) E. Linares García, *Cartas y poesías inéditas de D. Luis de Góngora,* Granada, 1892, 21-22, carta del 19 de diciembre de 1623. Cfr. *No hay mal que por bien no venga,* edic. A. Bonilla, 1916, XVII-XVIII. Como se ve, el suceso es de 1623, y no de 1618, como lo suponía L. F.-G.

> que de un león no se espanta,
> le espanta Pantaleón (1).

Entre Lope y Alarcón se cruzan constantemente las alusiones embozadas, y es posible que
a Lope y sus amores con Marta de Nevares se
refiera cierto pasaje de *Los Pechos privilegiados*:

> Culpa a un viejo avellanado,
> tan verde, que al mismo tiempo
> que está aforrado de Martas,
> anda haciendo Madalenos (2).

Los eruditos han creído entrever, asimismo,
lances de armas y desgracias de amores en los
documentos que sobre la vida de Alarcón con-
servamos. Pero son tan vagos los rastros, que
por ahora vale más no seguirlos. (3)

---

(1) Véase L. F.-G., pág. 315. Acaso deben referirse
estos incidentes a las sesiones de la Academia poética de
Medrano. Consta que Alarcón asistía a ellas, por carta
de Medrano a Castillo Solórzano, en los preliminares de
los *Favores de las Musas*.

(2) Pantaleón de Rivera escribía:

> Dígalo mi mexicano
> que, aunque sin cola ni maza,
> es el monazo inventor
> del primer "Cócale, Marta".

Fernández-Guerra, que transcribe todos estos pasajes,
acaso exagera un poco y ve alusiones a Alarcón en todas partes.

(3) Rivad., XX, xxxii *a*, n. *a*. Recuérdense los pasajes en que Suárez de Figueroa dice que da Alarcón asco
a las mujeres. Rivad., XX, xxxiii *b*, n. *c*; y xxxiv *a*,
n. *a*; ídem, notas *b* y *e*, y el pasaje de *Los pechos privi-*

Un acontecimiento de la corte vino a sazonar
todavía más la vida literaria de Ruiz de Alarcón:
el año de 1623 llega con fastuoso cortejo el príncipe de Gales, Carlos Estuardo, a tratar sus bodas con la infanta de Castilla María de Austria.
Su rápido paso por Madrid deja un recuerdo en
la poesía de la época, y, para Fernández-Guerra,
tiene—con razón—cierto atractivo de aventura
romántica. De vuelta a su patria—dice—"aguar-
dábanle un trono y un cadalso".

Bajo los festejos cortesanos hierven entonces

---

legiados, III, 3: "Culpa a un bravo bigotudo", etc. L. F.-G.
asocia arbitrariamente al poeta con doña Clara de Boba-
dilla y Alarcón, sólo porque ambos escribieron versos en
los preliminares del citado libro de *Los más fieles aman-*
tes (v. F.-G., págs. 119, 230, 316, 337, 402). Hay más, Barry, en su edición de *La Verdad sospechosa,* advierte que
esa misteriosa "doña Ana" que cruza por sus comedias
pudo ser realmente su pasión. En *Las paredes oyen* la
disputaría a "don Mendo", que puede ser Villamediana.
Esta comedia, continúa, es probablemente del año de
1618; y después añade que, en efecto, por aquellos años
Villamediana contraía matrimonio con una doña Ana de
Mendoza. F.-G., pág. 240, fijaba este matrimonio en el
año de 1616. Pero no tienen estas conjeturas bastante
fuerza. Cotarelo, en su libro sobre Villamediana, pág 25,
dice: "Doña Ana de Mendoza y de la Cerda, con quien
contrajo esponsales en Guadalajara el 4 de agosto de
este año de 1601 y matrimonio algunos meses después.. "
Admitiendo, pues, la hipótesis sobre la fecha de la comedia, Villamediana llevaría unos diecisiete años de matrimonio para esa época. Hace años, inspirado por las conjeturas de los eruditos, escribió e hizo representar, en el
teatro Principal de Méjico, un drama sobre *Los amores*
de Alarcón, el arqueólogo mejicano Alfredo Chavero.
Daba cuenta de la obra en los periódicos el poeta Gutiérrez Nájera: "Ha sido—decía—un fiasco laborioso."

las rivalidades mal encubiertas. Luis Vélez, nombrado ujier de la cámara del Príncipe, no teme
disgustar al Conde-Duque de Olivares queján-
dose del enojo de los huéspedes y de las pretensiones del Príncipe:

> Yo nasí en el rinión de Andalucía,
> y no es justo que en siglo de Gusmanes
> tenga cautiva en Londres mi poesía.
> Muera yo entre Tenorios y Marbanes,
> que juro a Dios que estoy con poplexía
> de Contintones y de Boquinganes (1).

Para entonces Ruiz de Alarcón ya había lo-
grado hacer representar su comedia *Ganar amigos* ante la reina Isabel de Borbón (octubre de
1621), y *Siempre ayuda la verdad*—en la que
colaboró con Tirso, según unos, y con Luis de Belmonte, según otros—en febrero de 1623 y ante
el Rey, ora sea en Sevilla, ora en Madrid, como
quieren otros. Todo ello iba en el camino de sus
pretensiones.

Cuando, en 21 de agosto de este año de 1623,
el rey Felipe IV hizo celebrar fastuosamente los
conciertos entre el Príncipe de Gales y la Infanta
de Castilla, Alarcón dedicó al Duque de Cea
—mantenedor de la fiesta—cierto *Elogio descriptivo,* que le valió el vejamen de Quevedo a que
hemos aludido al tratar de la figura de Alarcón,
así como las décimas burlescas que allí citamos.

---

(1) J. Gómez Ocerín, "Un soneto inédito de Luis Vélez", *Rev. de Filología Española,* III, 69-72.

La verdad es que Alarcón no tenía vena de im-
provisador, ni era poeta de circunstancias, ni ma-
nejaba con facilidad el estilo pomposo que con-
venía al caso. Tratábase de escribir un poema en
octavas, y parece que Mira de Mescua le sugirió
la idea de hacer con las octavas lo que con los
actos de las comedias se venía haciendo de tiempo
atrás, en caso de urgencia: distribuírlas entre varios amigos. Así salió el desdichado poema en
setenta y tres octavas reales, fraguadas por una
docena de ingenios. En el vol. LII, págs. 583 y
siguientes, de la Biblioteca "Rivadeneyra", pueden leerse el poema y las sátiras que provocó.
Diez y seis páginas de este vejamen han llegado
a nosotros. Pérez de Montalván le llama "poema
sudado, hijo de varios padres". Alonso del Castillo: "El poema que a Alarcón—le ha costado tan
barato,—es parecido retrato—de su talle y su
facción.—Belmonte y Pantaleón—son gibas del
haz y envés,—Mescua y don Diego los pies;—él,
la cabeza, aunque fea,—y el dinero del de Cea,—
el alma de todos es." Góngora le dice: "De las
ya fiestas reales—sastre y no poeta seas,—si a
octavas, como a libreas,—introduces oficiales."
Quevedo, en su décima, dice que el señor Ade-
lantado (el Duque de Cea) debiera volverle a quitar a Alarcón el dinero que le ha dado. Mira de
Mescua, por ser el autor de la invención, pide la
mitad de las utilidades. Y siguen las burlas por
el mismo tenor, combinando las alusiones a la

deformidad del poema y a la de su autor respon-
sable.

Hacia 1626 puede creerse que se retira Alarcón del mundo literario, en cuanto sus pretensiones comienzan a cumplirse.

En 1628, cuando publica la "Parte primera de
sus comedias", dice a su protector que sus comedias no son más que "virtuosos efectos de la ne-
cesidad" en que la dilación de sus pretensiones
le puso. A veces, parece que los poetas de aquel
tiempo tomaran como labor secundaria el hacer
comedias, dando gusto de cualquier modo a las
aficiones del pueblo. Lope ponía sus cinco sentidos en sus eruditas novelas: para el teatro pre-
tendía "hablar en necio" y emborronar el papel
a toda prisa.

Para 1634, cuando Ruiz de Alarcón publica su
"Parte segunda", le dice al lector: "que, siendo
mordaz, ganarás opinión de tal, y a mí no me
quitarás la que con ellas adquirí entonces (si no
miente la fama) de buen poeta, ni la que hoy
pretendo de buen ministro".

Es lástima que Luis Fernández-Guerra, a quien
tanto deben los estudios alarconianos, haya mez-
clado lo cierto con lo dudoso; es lástima que
nadie haya intentado restaurar el cuadro de ambiente que él trazó, y que ha envejecido tanto.
Aquí sólo hemos podido copiar algunos datos
amenos, todos relativos a las burlas que el poeta
sufrió. No quisiéramos con ello causar una im-

presión falsa en el lector: no hay quien viva sólo de burlas.

En la obra de Alarcón encontramos un eco de los desengaños de su vida. No cabe duda que tuvo amigos excelentes; a sus protectores sabe agradecerles en pocas palabras el bien que le han hecho. Pero del conjunto de los hombres, en relación con su obra literaria, del público en general, ¿qué recuerdo guarda? Léanse las altivas palabras *al vulgo*: "Contigo hablo, bestia fiera..." (1)

V

LA OBRA DE ALARCÓN

Representa la obra de Alarcón una mesurada protesta contra Lope, dentro, sin embargo, de las grandes líneas que éste impuso al teatro español. A veces sigue muy de cerca al maestro, pero otras logra manifestar su temperamento de moralista práctico de un modo más independiente. Y, en uno y otro caso, da una nota sobria, y le distingue una desconfianza general de los con-

---

(1) Lope, en carta a don Antonio de Mendoza (edic. académica, I, pág. 654): "Las comedias de Alarcón han salido impresas; sólo para mí no ay licencia. Del vulgo se quexa y le llama *bestia fiera*. Dizen que el vulgo ha vuelto por sí en una sonetada. Si la cobro, la verá Vm..." ¿A qué soneto o sonetos alude Lope de Vega?

vencionalismos acostumbrados, un apego a las
cosas de valor cotidiano, que es de una profunda
modernidad, y hasta una escasez de vuelos líri-
cos, provechosamente compensada por ese tono
"conversable y discreto" tan adecuado para el
teatro. Nota Pedro Henríquez Ureña (1) que es
Alarcón un temperamento en sordina, preciosa
anomalía de un siglo ruidoso; y Menéndez y Pelayo escribe: "Su gloria principal será siempre la
de haber sido el clásico de un teatro romántico,
sin quebrantar la fórmula de aquel teatro ni
amenguar los derechos de la imaginación en aras
de una preceptiva estrecha o de un dogmatismo
ético; la de haber encontrado, por instinto o por
estudio, aquel punto cuasi imperceptible en que
la emoción moral llega a ser fuente de emoción
estética..." (2)

Complejísima debió ser la elaboración de esta
psicología refinada. Un claro sentimiento de la
dignidad humana parece ser su último fondo, y
a medida que del yo íntimo avanzamos hacia sus
manifestaciones sociales y estéticas, vamos en-
contrando, como otras tantas atmósferas espiri-
tuales, un viril amor de la sinceridad, que nunca
desciende a la crudeza; un gran entusiasmo por
la razón, que quisiera instaurar sobre la tierra
el régimen de la inteligencia, y siempre dedicado

---

(1) *Don Juan Ruiz de Alarcón.* (Conferencia pronun-
ciada en Méjico en 1913.) Habana, 1915.
(2) *Hist. de la poesía hispano-americana,* 1911, I, 63-64.

a mostrarnos el desconcierto de las existencias
que gravitan fuera de esta ley superior; cierto
orgullo caballeresco del nombre y la prosapia,
por afición al mayor decoro de la vida, como
una nueva dignidad que sirve de máscara a la
dignidad interior; el gusto de la cortesía y el
cultivo de las buenas formas, freno perpetuo de
la brutalidad, que hace vivir a los hombres en
un delicado sobresalto; el disgusto de la rutina y
los convencionalismos de su arte, pero sin con-
sentirse nunca—por el culto de la moderación—
un solo estallido revolucionario; una elegancia
epigramática en sus palabras, y en sus retratos
un objetivismo discreto; una actitud de cavila-
ción ante la vida, ocasionada tal vez por su desgracia y defectos personales, y hasta por cierta
condición de extranjero, que todos se encargaban
de recordarle; finalmente, una apelación a todas
las fuerzas organizadoras de que el hombre dis-
pone, una fe perenne en la armonía, un ansia de
mayor cordialidad humana, que imponen a su
vida y a su obra un sello de candidez.

Entre la revuelta jauría literaria, burlado y
herido, Ruiz de Alarcón no se convence de que
la naturaleza humana sea fundamentalmente
mala, y busca por todos los medios una convic-
ción externa, objetiva. Satisfecho de su fama
poética, reclama, con decente naturalidad, su
parte en las comodidades del mundo, y entonces
aspira a ser un buen ministro. Dudamos de que

haya sido feliz; nada sabemos de su hogar, e
ignoramos quién era Angela Cervantes. Pero
¡noble amor el de la fama! El cuida al poeta como
un verdadero demonio familiar y, descontando
las penalidades presentes, le permite proyectar a
través del tiempo la imagen más pura de sí mismo, y la más feliz. El arte es también desquite
de la vida, y bienaventurado el que puede alzar
la estatua de su alma con los despojos de esta
realidad que todos los días nos asalta.

Una mesurada protesta contra Lope.—No sólo
por su posición crítica ante algunas convenciones
del teatro, como la conducta de sus graciosos,
que—dice Barry—, a pesar de Lope y de la anti-
güedad, no son siempre bribones, ni siempre se
casan necesariamente al tiempo que sus amos. (1)
De esta rutina, que da por momentos a la comedia cierto aire de danza ritual, a través de las
situaciones simétricas y contrarias de amos y
criados, ya se burlaba Quevedo en la "Premática" inserta en *El Buscón;* también Tirso de
Molina censura la intimidad inverosímil entre el
amo y criado (2). Ni siquiera pararon siempre
en casamiento las comedias de Alarcón, aunque
no sea único en esto. Respecto a los casos exage-
rados, como el disfraz masculino de las mujeres,
algo he dicho ya. No era su teatro un teatro de

---

(1) *Los Favores del mundo*, II, 1 y 2, y *La Verdad
sospechosa.*
(2) *Amar por señas*, I, 1.

fantasía y diversión como el de Tirso, sino de
realismo y pintura de caracteres. Pero nada de
esto le es privativo, aunque todo ello concurra a
darle relieve distinto. Sino que en Lope, en el
tipo fundamental de la comedia española, la invención lo es todo, y aquella ráfaga avasalladora
de acción deshace hasta la psicología, y si no
arrasa también la ética (yo creo que muchas veces la arrasa), es porque el sentido moral se salva
prendido provisionalmente a las nociones mecá-
nicas del "honor". Alarcón, en cambio, procura
que su acción tenga una verdad interna y, como
no puede menos de valerse de convenciones, hace
disertar a sus personajes—tal sucede en *La Verdad sospechosa*—, para que se demuestren a sí
mismos, por decirlo así, la verosimilitud de la
acción en que están comprometidos; y, de tiempo en tiempo, pone en sus labios resúmenes de
los episodios que nos permitan apreciar su sentido. Por eso decía Barry que se propone desarrollar una sola intriga, huyendo de la confusión de asuntos, y que "no sin cierta dificultad"
la lleva a término. Esto paga a la debilidad de los
recursos dramáticos de su tiempo. Algo de aquel
disgusto, por lo convencional que su "Don Domingo de don Blas" lleva a las cosas de la vida,
anima a Alarcón en la esfera del arte. Y *La Verdad sospechosa,* su obra más característica, verdadero compendio de su teatro, ¿no podría también interpretarse como una ironía inconsciente

de los procedimientos teatrales en boga? Su final
es frío y desconsolador: Corneille no se atrevió
a conservarlo en su adaptación francesa (*Le
Menteur*), anulando el sentido que la comedia
tiene hoy para nosotros. Como en un cuento del
humorista norteamericano Mark Twain, la acción
procede de una en otra mixtificación, hasta que
el héroe tropieza contra un verdadero muro in-
franqueable. Lo ordinario es que en el teatro
español los héroes se abran paso de cualquier
modo; pero en *La Verdad sospechosa* — si no
para Alarcón, sí para sus lectores modernos—las
leyes del orden, las fuerzas de la razón se ven-
gan: "La mano doy, pues es fuerza", dice "Don
García", y éste es el resultado más lógico de su
trama de embustes.

Da una nota de sobriedad.—"Los aficionados a
la corrección y a la pulcritud de la forma—ha
dicho Menéndez y Pelayo—, a la moralidad humana y benévola, al fino estudio de los caracteres medios, a la parsimonia y al decoro en la
expresión de los afectos, se sienten invencible-
mente atraídos por el teatro de don Juan Ruiz de
Alarcón, nuestro Terencio castellano, tan semejante al latino en las dotes que posee y en las que
le faltan." (1) Más adelante, al compararle con
Tirso, nota que resulta algo frío y prosaico, aunque rara vez cae en los extravíos de éste, a quien,

(1) Prólogo a la obra de doña Blanca de los Ríos de
Lampérez, *Del siglo de oro*, pág. XXII.

por otra parte, vence, "como vence a todos los
dramáticos nuestros, en aticismo, en limpieza y
tersura y acicalamiento de la frase, en el buen
gusto sostenido y en la perfección exquisita del
diálogo". Esta mayor minuciosidad artística explica la relativa lentitud, la comparativa escasez
de su obra. Decía bien don Antonio de Mendoza:
Don Juan nunca escribiría novecientas comedias,
ni podría echar el arte a risa.

Su apego a las cosas de valor cotidiano.—En
el mundo febril de la comedia española tienen
verdadero encanto esos descansos de la acción,
esos bostezos de la intriga que nos permiten sorprender los aspectos normales y desinteresados
de aquellas vidas tan lejanas. Entonces, como el
"Crespo", de *El Alcalde de Zalamea*, se nos habla del pedazo de jardín en que la hija se divierte, del viento que suena entre las parras (II, 5).
Entonces acude el poeta a la sátira de las costumbres y de los modos de vestir. Otras veces
son unos lugares comunes apacibles. Para un
pueblo en quien la voluntad estética era más des-
pierta y más pura—el pueblo griego—el coro,
base tradicional de la tragedia, llenaba esos descansos de la acción, emprendiendo un himno pa-
tético, que venía a ser verdadera y oportuna des-
carga de las emociones acumuladas por los episodios anteriores. Aquí se prefiere, a veces, algo
como un momentáneo olvido, un ligero desmayo,
que acaba por tener ese pudoroso encanto de las

cosas humildes. Yo quiero llamar la atención del lector sobre el ambiente sereno de algunos pasajes de Alarcón. En *La Verdad sospechosa* (III, 10) hablan "Don Juan de Luna" y "Don Sancho", los dos viejos, sobre ir a pasear al río; sala con vistas a un jardín:

> "—Parece que la noche ha refrescado.
> —Señor don Juan de Luna, para el río,
> éste es fresco, en mi edad, demasiado.
> —Mejor será que en ese jardín mío
> se nos ponga la mesa, y que gocemos
> la cena con sazón, templado el frío.
> —Discreto parecer; noche tendremos
> que dar al Manzanares más templada;
> que ofenden la salud estos extremos."

No es más que el miedo a la corriente de aire: un miedo burgués.

El sentimiento de la dignidad humana, la subordinación de los valores éticos: "Piensa que vale más (usaré las clásicas expresiones de Schopenhauer) *lo que se es* que *lo que se tiene* o *lo que se representa*. Vale más la virtud que el talento, y ambos más que los títulos de nobleza; pero éstos valen más que los favores del poderoso, y más, mucho más, que el dinero... Además, le son particularmente caras las virtudes que pueden llamarse "lógicas": la sinceridad, la lealtad, la gratitud, así como la regla práctica que debe completarlas: la discreción." (1) Alarcón nunca desciende a la crudeza, o lo hace para exhibirla,

----

(1) P. H. U., págs. 15-16.

como en la ruda escena que corta, súbitamente, el acto I de *La Verdad sospechosa*. (1) Los brutales no le entusiaman, ni le seduce ese matiz ético de la verdad que puede llamarse "verdad inoportuna".

> "Lo que siente el pensamiento,
> no siempre se ha de explicar",

dice en *Las Paredes oyen* (I, 1).—Es una cuestión de gusto y de buena educación. A veces se ha pensado que su moral no es bastante desinteresada, y en abono de ello se aducen varias consideraciones. He aquí—se dice—los consejos que de su obra resultan: conviene que el mentiroso se corrija, pero por bien de su nombre; que el maldiciente deje de serlo, pero porque oyen las paredes. Sus niñas casaderas siempre están mudando propósitos y calculando fríamente las posibilidades del matrimonio. Son entes de razón, pero no siempre graciosas. Y todos convienen en que le faltó a Alarcón el toque, voluble e intenso, de la psicología femenina. Con todo, Menéndez y Pelayo repara en la nobleza y distinción aristocrática que alguna vez se admira en estas mujeres; "y eso que Alarcón no fué muy feliz en este punto. Pero cuando acertó Alarcón a trazar

---

(1) Algo ha dicho Hartzenbusch sobre esta manera súbita de cortar los actos (Rivad., XX, pág. xxx). Lo propio acontece con las escenas, advierte P. H. U.-F. Franchi se quejaba de que los segundos actos de Alarcón acabasen su carrera con cierto desmayo.

un carácter femenino como la "Doña Inés" del
Examen de maridos, puso en ella siempre cierta
distinción, nobleza y gravedad, como de gran
señora, que suele faltar en las heroínas de Calderón, con ser tan huecas y entonadas". (1) En
todo caso, los defectos de sus mujeres, o son
atribuíbles a defectos del procedimiento dramático (2) o a aquella parte de sátira objetiva que
hay en la obra de Alarcón: en efecto, la España
del siglo XVII no es la tierra de "Elena Alving"
o de "Rebeca West"; más bien es la de "Nora",
antes de descubrir la verdad. No siempre deben
imputarse a Alarcón los pecados de sus personajes. ¿Cómo ha podido haber quien declame
contra ese graciosísimo rasgo de malicia paterna
de "Don Beltrán"?:

> "Mentir. ¡Qué cosa tan fea!
> ¡Qué opuesta a mi natural!
> Ahora bien, lo que he de hacer
> es casarle brevemente,
> antes que este inconveniente
> conocido venga a ser."

No niego que Alarcón hable, en la dedicatoria
de su "Parte primera", de que si no se es bueno
hay que procurar parecerlo; pero esto, si no es
ya la moral, es la política de la moral, el camino

---

(1) *Calderón* (1910), pág. 259.
(2) También se ha pretendido referirlo a la probable
mala fortuna del poeta con las mujeres. No sé si esta explicación es inteligente.

de la moral. Sócrates, al imprudente que le acha-
caba estar lleno de malas pasiones, le contesta:
"Me has conocido; así soy, en el fondo: mi mérito precisamente está en reprimirme." Recuer-
de, por último, el lector aquel sabio cuento de
Jules Lemaître —*El Primer impulso*—, donde
toda la santidad de Hariri se derrumba en cuanto
los dioses le consienten realizar siempre su primer deseo.—Así, en el sistema de Alarcón, las
fórmulas mismas de cortesía—de que se pagaba
tanto "Don Domingo de Don Blas"—cobran una
realidad ética como factores del bien, y nos en-
caminan a la moderación y al amor de los hombres.

Y aquí es ineludible abordar el problema del
"mejicanismo" de Alarcón, tan ingeniosamente
planteado por Pedro Henríquez Ureña en la conferencia que vengo citando, donde supo dar a la
figura del poeta—algo desvanecida en la crítica
académica—una extraordinaria vitalidad. No pretende el crítico darnos una explicación total de
Alarcón por el ambiente en que pasó los veinte
primeros años de su vida y, con intervalo de
ocho, otros cinco más; pero piensa que, entre los
múltiples elementos que integraban aquella per-
sonalidad, toca al "mejicanismo" parte no secundaria, y cree descubrirlo en ese tono discreto
y mesurado, de psicologismo caviloso, que le per-
mitió sacar de sí mismo, sin antecedentes califi-
cados ni sucesión inmediata—creándola a la vez

para España y para Francia—, (1) la comedia
de costumbres.

La tesis, aun con todas las limitaciones con
que ha sido propuesta, es arriesgada; aún ocurre
preguntarse si, más que servir la fórmula del mejicanismo para explicar a Alarcón, la obra de éste
servirá—a título de semejanza simbólica—para
acabar de explicarnos algunos rasgos del mejicanismo... Además, una opinión autorizada nos sale
al paso: Menéndez y Pelayo dice, en su *Historia
de la poesía hispano-americana* (I, 63), que va a
prescindir de Alarcón, al hablar de Méjico, por
varias razones (2): "Es la primera, la total ausencia de *color americano* que se advierte en sus
producciones, de tal modo que, si no supiéramos
su patria, nos sería imposible adivinarla por medio de ellas." En otra parte (*Oríg. de la Novela*,
I, pág. CCCXCII), escribe que el Inca Garcilaso y
Alarcón son "los verdaderos clásicos nuestros
nacidos en América". Considera a Ruiz de Alarcón como un americano españolizado —lo cual es
verdad en muchos sentidos—, y a Valbuena,

---

(1) Se ha dicho que la verdadera sucesión alarconiana no está en España, sino en Francia, donde Corneille
renuncia a la comedia de intriga para adoptar la fórmula
de *La Verdad sospechosa,* e influye después definitivamente
en Molière.

(2) Como es de esperar, no prescinde (alguien expli-
cará un día la obra de Menéndez y Pelayo como un caso
de ímpetu); al contrario: emite, como de paso, algunos
de sus mejores juicios sobre Alarcón.

como un español americanizado, que tampoco me parece negable.

Es cierto: *color americano* no lo hay en Alarcón; pero no se trata de eso. Menéndez y Pelayo, a pesar de su magno esfuerzo, nunca logró entender por completo el espíritu americano. Para él la América fué siempre cosa externa, región caracterizada por el "color local", y por eso creía encontrar en las externalidades brillantes de Valbuena el secreto del Nuevo Mundo. Su más noble interpretación de América la formuló al asegurar que el fundamento de su originalidad poética "más bien que en opacas, incoherentes y misteriosas tradiciones... ha de buscarse en la contemplación de las maravillas de un mundo nuevo, en los elementos propios del paisaje, en la modificación de la raza por el medio ambiente y en la enérgica vida que engendraron, primero el esfuerzo civilizador de la conquista, luego la guerra de separación y finalmente las discordias civiles. Por eso — añade — lo más original de la poesía americana es, en primer lugar, la poesía descriptiva, y en segundo lugar, la política." No hay tal, sino la lírica. Menéndez y Pelayo sólo veía lo externo de América: no ya la América exótica, pero la de las revoluciones y la de las selvas vírgenes. Junto a esto —y es mucho más esencial— queda la vida cotidiana, la trama de pequeñas experiencias que labran una psicología nacional. "Son rarísimas en Alarcón—continúa Menéndez y Pe-

layo—las alusiones y reminiscencias a su país
natal: de una sola comedia suya, *El Semejante a
sí mismo,* se puede creer o inferir con verisimili-
tud que fuera compuesta en América". Alusiones
y reminiscencias. ¿A esto se pretende reducir el
carácter nacional? ¿Qué alusión, qué reminiscencia de España en las odas abstractas de fray
Luis? Con todo, la historia del pensamiento nacional vive en ellas íntimamente.

La crítica histórica se completa con la crítica
psicológica. "La literatura de aquel país — dice
Adolfo Bonilla, *op. cit.,* pág. XXI—no había ad-
quirido, a principios del siglo XVII, el desarrollo
necesario para ostentar caracteres propios e in-
dependientes." La literatura no, pero sí la vida
nacional, según testimonios contemporáneos que
sería muy largo transcribir. (1) Añade Bonilla
que "el sentimiento discreto, el tono velado, el
matiz crepuscular", que dice Pedro Henríquez
Ureña, no son extraños en poetas peninsula-

---

(1) Dr. Juan de Cárdenas, *Problemas y secretos ma-
ravillosos de las Indias* (1591). México, 1913, págs. 159
y sigts.—J. García Icazbalceta, *Obras,* Bibl. de Aut. Mexic.
de V. Agüeros, I, 220 y sigts., y II, 282-286.—J. M. L.
Mora, *Méjico y sus revoluciones.* París, 1836, III, 240-
256.—M. Menéndez y Pelayo, *Hist. de la poesía hisp.-
americ.,* 1911, II, 46, n.—Baltasar Dorantes de Carranza,
Sumaria relación de las cosas de la Nueva España (1604?),
México, 1902.—Mateo Rosas de Oquendo, Ms. núm. 19387
de la Bibl. Nac. de Madrid, cartapacio poético de fines
del XVI y principios del XVII, donde aparecen los sonetos
que García Icazbalceta encontró en Dorantes de Carranza. (V. *Sobre Mateo Rosas de Oquendo, Revista de Filo-*

res como Francisco de Figueroa o los Argensolas. Ni en aquél ni en éste llegan a la temperatura alarconiana; pero, en todo caso, es verdad que la tesis del mejicanismo no lo explica todo ni con mucho, y que ha de recibirse con todas las reservas con que ha sido propuesta.

Falta todavía entrar en pormenores lingüísticos, y acaso Henríquez Ureña está llamado a emprender este examen. Hartzenbusch, en su fi-

---

logía Española, 1917, IV, págs. 341-370.)—C. Suárez de Figueroa (1617), edic. F. Rodríguez Marín, 1913, pág. 147.

Tengo la sospecha de que el hablar de las diferencias entre peninsulares y americanos era un verdadero lugar común en ciertos tratados de la época; así tal vez en el Ms. citado por L. F.-G., pág. 484, nota 166: Diego de Cisneros (*). Sitio, naturaleza y propiedades de la ciudad de México, 1618, cap. XVII, pág. 153.

"La diferenciación se produjo desde el siglo de la conquista (apunta razones don Justo Sierra en su Evolución política de México)", dice P. H. U., pág. 20, nota 1. Y añade: "Abundan en la literatura de los siglos de oro pasajes relativos al carácter de los indianos, que estiman perfectamente definido."

Sobre la "cortesía" en Alarcón, cita P. H. U. la letrilla de Quevedo publicada en Rivad., XX, pág. XXXII b:

"¿Quién da a todos garatusa
si suelta la taravilla?...
¿Quién a las chinches enfada...?
¿Quién es mosca y zalamero?..."

Y, continuando sobre el tema, escribe P. H. U.: "Y

(*) ¿Es el autor de cierta traducción manuscrita de Montaigne que cita Menéndez y Pelayo en su Hist. de las ideas estéticas, 2.ª edic., 1903, tomo V (siglo XVIII), página 135?

lología candorosa, escribe: "También es particular que Alarcón haya usado palabras y locuciones que creíamos nacidas en nuestros días. El verbo *fastidiar* en la acepción de *molestar,* y la locución *hacer el amor,* ya se halla en estas comedias." (1) Cuestiones son éstas que quedan en suspenso para los tiempos en que la dialectología mejicana encuentre quien la cultive como cultiva ya el profesor Espinosa la de la región bilingüe de Nuevo

por último, hay una virtud de tercer orden que estimaba en mucho: la cortesía. Vosotros, quizá, extrañaréis que os diga que ésta es muy de México; pero yo, que no nací aquí, sé que lo es. Acaso la cortesía mexicana, en buena parte, haya recibido influencia de la cortesanía indígena. Esta era proverbial precisamente en los tiempos de nuestro dramaturgo: "Cortés como un indio mexicano", dice en el *Marcos de Obregón* Vicente Espinel. A fines del mismo siglo XVII decía el venerable Palafox, al hablar de las *virtudes del indio*: "La cortesía es grandísima." Más tarde, en el siglo XIX, ¿no fué la cortesía mexicana uno de los rasgos que mejor observaron los sagaces ojos de madame Calderón de la Barca? (*) ¿No la observan todos los viajeros? Alarcón mismo fué sin duda muy cortés. Quevedo (**), con su irrefrenable maledicencia, le llama "mosca y zalamero". Y en sus comedias se nota una abundancia de expresiones de cortesía y amabilidad..." (página 16).

V. Luis G. Urbina, *La literatura mexicana,* México, 1913; y del mismo, *La vida literaria de México,* Madrid, 1917, págs. 49-52.

V. también *Revista de Filología Española,* III, 319-321, reseña de la conferencia de P. H. U., sobre Alarcón.

(1) Rivad., XX, xxx, *b.*

(*) Madame Calderón de la Barca, *Life in Mexico,* edic. "Everyman", 82-92.

(**) Rivad., XX, xxxii *b.*

Méjico (1). Pero, para eso, es menester que en la
misma España, equilibrado aquel entusiasmo por
sorprender a la lengua en lo que llamaba Brune-
tière "flagrante delito de transformación" (2),
vuelvan los lingüistas a considerar con ojos aten-
tos la verdadera lengua literaria, cuyos secretos
son menos externos y mecánicos.

ALFONSO REYES.

(1) J. García Icazbalceta dejó incompleto su *Vocabulario de Mexicanismos.* Después de él, y hay que confesar
que más bien entre los extraños que entre los propios,
todo se reduce a contribuciones parciales, como el estudio de la pronunciación en la ciudad de México, del profesor Charles Carroll Marden y los materiales recogidos
por el profesor Franz Boas. No olvido, pero pongo en
segundo término el deficiente *Diccionario de Mexicanismos* de F. Ramos y Duarte (1895), y el confuso *Diccionario de Aztequismos* de C. A. Robelo (1904).

(2) *L'érudition contemporaine et la littérature française au Moyen-Age.* (Etudes critiques sur l'histoire de
la litt. française, I, pág. 6.)

LA VERDAD SOSPECHOSA*

HABLAN EN ELLA LAS PERSONAS SIGUIENTES **

Don García, *galán.*
Don Juan, *galán.*
Don Felis, *galán.*
Don Beltrán, *viejo grave.*
Don Sancho, *viejo grave.*
Don Juan, *viejo grave.*
Tristán, *gracioso.*

Un Letrado.
Camino, *escudero.*
Un Page.
Jacinta, *dama.*
Lucrecia, *dama.*
Isabel, *criada.*

ACTO PRIMERO

(*Sala en casa de* Don Beltrán.)

[ESCENA I]

(*Salen por una puerta* Don García *y un* Letrado *viejo, de estudiantes, de camino; y, por otra,* Don Beltrán *y* Tristán.)

D. Beltrán.   Con bien vengas, hijo mío.
D. García.   Dame la mano, señor.

---

* Según la edición hecha por el autor en 1634. También se han tenido en cuenta las siguientes: Madrid, Imprenta de la Educación Pueril, 1850, cuidada por Hartzenbusch; la que éste preparó para la Bibl. Rivad., XX, que difiere de la anterior en la indicación de escenas y en la lectura de los versos núms. 163, 607, 954, 1919, 2083, 2416, 2613, 2899, 2978, 3019; y, finalmente, la de Ed. Barry para la colección "Merimée", que sólo difiere de la de Rivad. en la lectura de los versos núms. 30, 241, 2792 y en la puntuación interpretativa del núm. 3010. Ninguna se ajusta completamente a la antigua, y el orden en que las he enumerado es el orden de preferencia, en cuanto a pureza del texto. La de Ed. Barry tiene notas muy sugestivas y comparaciones con los pasajes correspondientes de *Le Menteur,* de Corneille.

** Además, Un Criado: III, 11.

D. Beltrán. ¿Cómo vives?

D. García.   El calor
del ardiente y seco estío
    me ha afligido de tal suerte,   5
que no pudiera llevallo,
señor, a no mitigallo
con la esperança de verte.

D. Beltrán.   Entra, pues, a descansar.
Dios te guarde. ¡Qué hombre vienes!—   10
¿Tristán?...

Tristán.   ¿Señor?...

D. Beltrán. (Dueño tienes
nuevo ya de quien cuydar.
    Sicve desde oy a García;
que tú eres diestro en la Corte
y él bisoño.

Tristán.   En lo que importe   15
yo le serviré de guía.

D. Beltrán.   No es criado el que te doy;
mas consejero y amigo.

D. García.   Tendrá esse lugar conmigo. (*Vase.*)

Tristán.   Vuestro humilde esclavo soy. (*Vase.*)   20

[ESCENA II]

D. Beltrán.   Deme, señor Licenciado,
los braços.

Letrado.   Los pies os pido.

---

21   V. *Los Favores del mundo,* I, 9:

    "—Dadme los brazos.

                —Señor,
con que a vuestros pies me abaje
premiáis mi hazaña mayor."

Y Lope, *La Estrella de Sevilla,* I, 5:

D. Beltrán. Alce ya. ¿Cómo ha venido?
Letrado.   Bueno, contento, honrado
                de mi señor don García,   25
             a quien tanto amor cobré,
             que no sé cómo podré
             vivir sin su compañía.
D. Beltrán. Dios le guarde, que, en efeto,
             siempre el señor Licenciado   30
             claros indicios ha dado
             de agradecido y discreto.
                Tan precisa obligación
             me huelgo que aya cumplido
             García, y que aya acudido   35
             a lo que es tanta razón.
                Porque le asseguro yo
             que es tal mi agradecimiento,
             que, como un corregimiento
             mi intercessión le alcançó   40
                (según mi amor, desigual),
             de la misma suerte hiziera
             darle también, si pudiera,
             plaça en Consejo Real.
Letrado.   De vuestro valor lo fío.   45
D. Beltrán. Sí, bien lo puede creer.
             Mas yo me doy a entender
             que, si con el favor mío

                "—Los pies me dad.
             —Mis dos brazos, regidor,
             os daré.
                       —Tanto favor
             no entiende mi actividad."

   41 *Desigual*: inferior. V. *desigualdad* en *Las Paredes
oyen, v. n. 2.
   45 *Valor*: valimiento.

	en esse escalón primero	
	se ha podido poner, ya	50
	sin mi ayuda subirá	
	con su virtud al postrero.	
LETRADO.	En qualquier tiempo y lugar	
	he de ser vuestro criado.	
D. BELTRÁN.	Ya, pues, señor Licenciado	55
	que el timón ha de dexar	
	de la nave de García,	
	y yo he de encargarme dél,	
	que hiziesse por mí y por él	
	sola una cosa querría.	60
LETRADO.	Ya, señor, alegre espero	
	lo que me queréys mandar.	
D. BELTRÁN.	La palabra me ha de dar	
	de que lo ha de hazer, primero.	
LETRADO.	Por Dios juro de cumplir,	65
	señor, vuestra voluntad.	
D. BELTRÁN.	Que me diga una verdad	
	le quiero sólo pedir.	

Ya sabe que fué mi intento
que el camino que seguía   70
de las letras, don García,
fuesse su acrecentamiento;
    que, para un hijo segundo,
como él era, es cosa cierta
que es éssa la mejor puerta   75
para las honras del mundo.
    Pues como Dios se sirvió
de llevarse a don Gabriel,
mi hijo mayor, con que él
mi mayorazgo quedó,   80

---

77 *Pues* narrativo, como en los comienzos de los cuentos: "Pues, señor..."

determiné que, dexada
essa professión, viniesse
a Madrid, donde estuviesse,
como es cosa acostumbrada
   entre ilustres cavalleros   85
en España; porque es bien
que las nobles casas den
a su Rey sus herederos.

   Pues como es ya don García
hombre que no ha de tener   90
maestro, y ha de correr
su govierno a cuenta mía,

   y mi paternal amor
con justa razón dessea
que, ya que el mejor no sea,   95
no le noten por peor,

   quiero, señor Licenciado,
que me diga claramente,
sin lisonja, lo que siente
(supuesto que le ha criado)   100

   de su modo y condición,
de su trato y exercicio,
y a qué género de vicio
muestra más inclinación.

   Si tiene alguna costumbre   105
que yo cuyde de enmendar,
no piense que me ha de dar
con dezirlo pesadumbre:

   que él tenga vicio es forçoso; ⎞
que me pese, claro está;   110
mas saberlo me será
útil, quando no gustoso. ⎠

   Antes en nada, a fe mía,
hazerme puede mayor

plazer, o mostrar mejor   115
lo bien que quiere a García,
   que en darme este desengaño,
quando provechoso es,
si he de saberlo después
que aya sucedido un daño.   120

LETRADO.   Tan estrecha prevención,
señor, no era menester
para reduzirme a hazer
lo que tengo obligación.

   Pues es caso averiguado   125
que, quando entrega al señor
un cavallo el picador
que lo ha impuesto y enseñado,
   si no le informa del modo
y los resabios que tiene,   130
un mal sucesso previene
al cavallo y dueño y todo.

   Deziros verdad es bien;
que, demás del juramento,
daros una purga intento   135
que os sepa mal y haga bien.

   De mi señor don García
todas las acciones tienen
cierto accento, en que convienen
con su alta genealogía.   140

   Es magnánimo y valiente,
es sagaz y es ingenioso,
es liberal y piadoso;
si repentino, impaciente.

   No trato de las passiones   145
proprias de la mocedad,
porque, en essas, con la edad
se mudan las condiciones.

Mas una falta no más
es la que le he conocido, 150
que, por más que le he reñido,
no se ha enmendado jamás.

D. BELTRÁN. ¿Cosa que a su calidad
será dañosa en Madrid?

LETRADO. Puede ser.

D. BELTRÁN. ¿Quál es? Dezid. 155

LETRADO. No dezir siempre verdad.

D. BELTRÁN. ¡Jesús, qué cosa tan fea
en hombre de obligación!

LETRADO. Yo pienso que, o condición,
o mala costumbre sea. 160
Con la mucha autoridad
que con él tenéys, señor,
junto con que ya es mayor
su cordura con la edad,
esse vicio perderá. 165

D. BELTRÁN. Si la vara no ha podido,
en tiempo que tierna ha sido,
endereçarse, ¿qué hará
siendo ya tronco robusto?

LETRADO. En Salamanca, señor, 170

152-156 V. *Examen de maridos*, II, 6:

"Y soy (que esto es lo más nuevo
en los de mi calidad)
amigo de la verdad
y de pagar lo que debo."

153 *Cosa*. V. *Las Paredes oyen*, v. n. 1869.
164 V. *Examen de maridos*, III, 8:

"El mentir es liviandad
de mozo, no es maravilla;
y vendrán a corregilla
la obligación y la edad."

son moços, gastan humor,
sigue cada qual su gusto;
hazen donayre del vicio,
gala de la travessura,
grandeza de la locura: 175
haze, al fin, la edad su oficio.

Mas, en la Corte, mejor
su enmienda esperar podemos,
donde tan validas vemos
las escuelas del honor.   180

D. BELTRÁN.   Casi me mueve a reyr
ver quán ignorante está
de la Corte. ¿Luego acá
no ay quien le enseñe a mentir?

En la Corte, aunque aya sido   185
un estremo don García,
ay quien le dé cada día
mil mentiras de partido.

Y si aquí miente el que está
en un puesto levantado   190
en cosa en que al engañado
la hazienda o honor le va,

¿no es mayor inconveniente
quien por espejo está puesto
al reyno? Dexemos esto,   195
que me voy a maldiziente.

Como el toro a quien tiró
la vara una diestra mano

---

171 *Gastan humor.* V. *Paredes oyen,* v. n. 1617.
188 *Mil mentiras de partido*: dar de partido, de ventaja, mil mentiras, y todavía ganarle sobre ellas.
197 *Los Favores del mundo,* III, 6:

   "Como el toro, a quien tiró
   la vara una diestra mano,

arremete al más cercano
sin mirar a quien le hirió,
                        assí yo, con el dolor
que esta nueva me ha causado,
en quien primero he encontrado
executé mi furor.

200

arremete al más cercano,
sin buscar a quien le hirió,
Su Alteza, con el dolor
que esta nueva le ha causado,
en nosotros ha vengado
los agravios de su amor."

Antes (I, xx):

"Acosado
toro embestimos, señor."

En *Mudarse por mejorarse*, II, 11:

"Eso sí; imita al toro embravecido:
el que la vara le tiró, se escapa.
Véngate agora en mí, que soy la capa."

Compárense estos pasajes con Lope de Vega, *El Peregrino en su patria* (Sevilla, Clemente Hidalgo, 1604), folio
75 vuelto:
"No lo huve sentido cuàndo, como celoso toro que en
los árboles de los caminos executa su furia, a oras estra-
ordinarias rompía sus ventanas y puertas."
Y, por la construcción de la metáfora, también cierto
pasaje de *El Hijo pródigo*, de Lope (edición académica,
II, 59 *b*):

"Como el caballo, animado
del trompeta, acometió,
así de tus voces yo,
rompiendo el temor helado..."

Parece lugar derivado de la épica erudita. V. Ercilla,
Araucana, III, edición académica, Madrid, 1866, pág. 58:

"Como el caimán", etc.

Y, también, pág. 68:

Créame, que si García   205
mi hazienda, de amores ciego,
dissipara, o en el juego
consumiera noche y día;
    si fuera de ánimo inquieto
y a pendencias inclinado,   210
si mal se huviera casado,
si se muriera, en efeto,
    no lo llevara tan mal
como que su falta sea
mentir. ¡Qué cosa tan fea!   215
¡Qué opuesta a mi natural!
    Aora bien: lo que he hazer
es casarle brevemente,
antes que este inconveniente
conocido venga a ser.   220
    Yo quedo muy satisfecho
de su buen zelo y cuydado,
y me confiesso obligado
del bien que en esto me ha hecho.

"Como el furioso toro que, apremiado
con fuerte amarra al palo, está bramando,
de la tímida gente rodeado", etc.

Canto IV, pág. 86:

"Como el aliento y fuerzas van faltando
a dos valientes toros animosos", etc.

Canto V, pág. 102:

"Como el feroz caballo que, impaciente", etc.

Canto VI, pág. 121:

"Cual banda de cornejas esparcidas..."

Los ejemplos abundan en *La Araucana*. La comparación
zoológica constituye un rasgo típico del estilo de Ercilla.
217 "Ara bien", ed. 1634.

   ¿Quándo ha de partir?

LETRADO.   Querría   225
luego.

D. BELTRÁN. ¿No descansará
algún tiempo y gozará
de la Corte?

LETRADO.   Dicha mía
fuera quedarme con vos;
pero mi oficio me espera.   230

D. BELTRÁN. Ya entiendo: volar quisiera
porque va a mandar.—Adiós. (*Vase.*)

LETRADO.   Guárdeos Dios.—Dolor estraño
le dió al buen viejo la nueva.
Al fin, el más sabio lleva   235
agramente un desengaño. (*Vase.*)

[*L a s   P l a t e r í a s.*]

[ESCENA III]

(*Salen* DON GARCÍA, *de galán, y* TRISTÁN.)

D. GARCÍA. ¿Dízeme bien este trage?

TRISTÁN. Divinamente, señor.
¡Bien huviesse el inventor
deste olandesco follaje!   240
Con un cuello apanalado,
¿qué fealdad no se enmendó?

236-7 V. el paseo de la calle Mayor en *El Diablo Co-*
juelo, edición A. Bonilla, pág. 78.

Además, *Las Paredes oyen,* v. n. 869.

ESCENA III.—Sucede al día siguiente de las dos anteriores. V. v. n. 485.

240 *Olandesco follaje*: cuello de Holanda.

241 *Apanalado,* y no *acanalado,* como ponen los edito-

Yo sé una dama a quien dió
cierto amigo gran cuydado
    mientras con cuello le vía;   245
y una vez que llegó a verle
sin él, la obligó a perderle
quanta afición le tenía,
    porque ciertos costurones
en la garganta cetrina   250
publicavan la ruyna
de passados lamparones.

    Las narizes le crecieron,
mostró un gran palmo de oreja,
y las quixadas de vieja,   255
en lo enxuto, parecieron.

    Al fin el galán quedó
tan otro del que solía,
que no le conocería
la madre que le parió.   260

D. García.   Por essa y otras razones
me holgara de que saliera
premática que impidiera
essos vanos cangilones.

    Que, demás de essos engaños,   265
con su olanda el estrangero
saca de España el dinero
para nuestros proprios daños.

    Una baloncilla angosta,
usándose, le estuviera   270

---

res modernos: "que forma celdillas como panal", dice la
Academia.

263-269 Sabido es que las modas se gobernaban por
premáticas. La de 1623 ordenó el uso de las valonas sen-
cillas. Entre las "figurerías" que Gracián censura en *El
Discreto* (1646, Realce XVI), dice que hay "quien en la
campaña sale con golilla, y en la corte con valona".

bien al rostro, y se anduviera
más a gusto a menos costa.
    Y no que, con tal cuydado
sirve un galán a su cuello,
que, por no descomponello,   275
se obliga a andar empalado.

TRISTÁN.   Yo sé quien tuvo ocasión
de gozar su amada bella,
y no osó llegarse a ella
por no ahujar un cangilón.   280
    Y esto me tiene confuso:
todos dizen que se holgaran
de que balonas se usaran,
y nadie comiença el uso.

D. GARCÍA.   De governar nos dexemos   285
el mundo. ¿Qué ay de mugeres?

TRISTÁN.   ¿El mundo dexas y quieres
que la carne governemos?
    ¿Es más fácil?

D. GARCÍA.   Más gustoso.

TRISTÁN.   ¿Eres tierno?

D. GARCÍA.   Moço soy.   290

TRISTÁN.   Pues en lugar entras oy
donde Amor no vive ócioso.
    Resplandecen damas bellas
en el cortesano suelo,
de la suerte que en el cielo   295
brillan luzientes estrellas.

---

280 *Ahujar*: tal vez mala lectura, por *ahajar*, ajar.
290 V. *Las Paredes oyen*, v. n. 1607:

    "—¿Tierno sois?
            —¿Es contra ley?"

291 y sigts. V. *Las Paredes oyen*, v. n. 743.

En el vicio y la virtud
y el estado ay diferencia,
como es varia su influencia,
resplandor y magnitud.   300

Las señoras no es mi intento
que en este número estén,
que son ángeles a quien
no se atreve el pensamiento.

Sólo te diré de aquéllas   305
que son, con almas livianas,
siendo divinas, humanas;
corruptibles, siendo estrellas.

Bellas casadas verás,
conversables y discretas,
que las llamo yo planetas
porque resplandecen más.

Éstas, con la conjunción
de maridos placenteros,
influyen en estrangeros   315
dadivosa condición.

Otras ay cuyos maridos
a comissiones se van,
o que en las Indias están,
o en Italia, entretenidos.   320

No todas dizen verdad
en esto, que mil taymadas

---

310 *Conversable.* V. Tirso, *La Villana de Vallecas,*
I, 10:

> "Aguardaba mi cena a un compañero
> conversable, que a solas nunca trato
> dar al cuerpo sustento..."

318 *Comisiones.* V. *La Prueba de las promesas,* III,
pág. 448 b. (Rivad., xx):

suelen fingirse casadas
por vivir con libertad.

Verás de cautas passantes   325
hermosas rezientes hijas:
éstas son estrellas fixas,
y sus madres son errantes.

Ay una gran multitud
de señoras del tusón,   330
que, entre cortesanas, son
de la mayor magnitud.

Síguense tras las tusonas
otras que serlo dessean,
y, aunque tan buenas no sean,   335
son mejores que busconas.

Éstas son unas estrellas
que dan menor claridad;
mas, en la necessidad,
te avrás de alumbrar con ellas.   340

"—¿Qué pide?
      —Una comisión.
—¿Qué?
    —Comisión.
        —Bien está.
¿Fuera de aquí?
      —En Zaragoza.
—¿Casado?
      —Con mujer moza
y hermosa.
      —Negociará."

330 V. la nota al *Diablo Cojuelo,* edición de A. Bonilla, Madrid, 1910. Como hay "caballeros del toisón", hay
"señoras del tusón o tusonas". "Tundidora de gustos" le
llama Quevedo a una (*Poesías varias,* Alfay, Zaragoza,
1654: *A mi señora doña Ana Chanflón,* etc.).

La buscona no la cuento
por estrella, que es cometa;
pues ni su luz es perfeta
ni conocido su assiento.

Por las mañanas se ofrece   345
amenaçando al dinero,
y, en cumpliéndose el agüero,
al punto desaparece.

Niñas salen que procuran
gozar todas ocasiones: 350
éstas son exalaciones
que, mientras se queman, duran.

Pero que adviertas es bien,
si en estas estrellas tocas,
que son estables muy pocas,   355
por más que un Perú les den.

No ignores, pues yo no ignoro,
que un signo el de Virgo es
y los de cuernos son tres:
Aries, Capricornio y Toro.   360

Y assí, sin fiar en ellas,
lleva un presupuesto solo,
y es que el dinero es el polo
de todas estas estrellas.

---

364 y sigts. Se ha llegado a suponer que este criado
con letras de las comedias de Alarcón tiene algo de real.
En todo caso, es un lugar común del teatro, cuya tradi-
ción remonta, por lo menos, a Torres Naharro, *Comedia
Jacinta,* I:

"—Sino que, para quien eres,
me pareces muy letrado.
—No t'engañes, si te engañas;
que si tengo algún saber,

D. García.	¿Eres astrólogo?	
Tristán.	Ohí,	365
	el tiempo que pretendía,	
	en Palacio Astrología.	
D. García.	¿Luego has pretendido?	
Tristán.	Fuí	
	pretendiente, por mi mal.	
D. García.	¿Cómo en servir has parado?	370
Tristán.	Señor, porque me han faltado	
	la fortuna y el caudal;	
	aunque quien te sirve, en vano	
	por mejor suerte suspira.	
D. García.	Dexa lisonjas y mira	375
	el marfil de aquella mano;	
	el divino resplandor	
	de aquellos ojos, que, juntas,	
	despiden entre las puntas	
	flechas de muerte y amor.	380
Tristán.	¿Dizes aquella señora	
	que va en el coche?	
D. García.	Pues ¿quál	
	merece alabança ygual?	
Tristán.	¡Qué bien encaxaba agora	
	esto de coche del sol,	385
	con todos sus adherentes	
	de rayos de fuego ardientes	
	y deslumbrante arrebol!	

---

primero fuí bachiller
que pastor de las montañas."

Y en la jornada V:

    "—Sé mil cosas especiales
    d'achaque d'astrología."

365 *Oír* era asistir a clase; y *leer,* enseñar.

2

D. García.   ¿La primer dama que vi
               en la Corte me agradó?   390
Tristán.   La primera en tierra.
D. García.   No:
               la primera en cielo, sí,
               que es divina esta muger.
Tristán.   Por puntos las toparás
               tan bellas, que no podrás   395
               ser firme en un parecer.

               Yo nunca he tenido aquí
               constante amor ni desseo,
               que siempre por la que veo
               me olvido de la que vi.   400
D. García.   ¿Dónde ha de aver resplandores
               que borren los de estos ojos?
Tristán.   Míraslos ya con antojos,
               que hazen las cosas mayores.
D. García.   ¿Conoces, Tristán?...
Tristán.   No humanes   405
               lo que por divino adoras;
               porque tan altas señoras
               no tocan a los Tristanes.

---

391 *La primera en tierra.* El Diccionario de la Academia trae: "La primera, y ésa, en tierra." Equivale a: "Al
primer tapón, zurrapas."

394 *Por puntos.* V. *Las Paredes oyen,* v. n. 555:

       "Por *puntos* te he de escribir."

Lope, *El Ausente en el lugar,* I, 13:

       "Que quien tiene en Argel el cuerpo preso,
       tendrá, por puntos, en su tierra el alma."

Vale: "sin cesar" y "frecuentemente".
403 "Mirarlos", ed. 1634.

D. García.   Pues yo, al fin, quien fuere, sea,
   la quiero y he de servilla.   410
   Tú puedes, Tristán, seguilla.
Tristán.   Detente, que ella se apea
   en la tienda.
D. García.   Llegar quiero.
   ¿Usase en la Corte?
Tristán.   Sí,
   con la regla que te di   415
   de que es el polo el dinero.
D. García.   Oro traigo.
Tristán.   ¡Cierra, España!
   que a César llevas contigo.
   Mas mira si en lo que digo
   mi pensamiento se engaña;   420
   advierte, señor, si aquella
   que tras ella sale agora
   puede ser sol de su aurora,
   ser aurora de su estrella.
D. García.   Hermosa es también.
Tristán.   Pues mira 425
   si la criada es peor.
D. García. El coche es arco de amor,
   y son flechas quantas tira.
   Yo llego.
Tristán.   A lo dicho advierte...
D. García. ¿Y es...?
Tristán.   Que a la muger rogando, 430
   y con el dinero dando.
D. García. ¡Consista en esso mi suerte!

---

430 A Dios rogando y con el mazo dando. V. *La
Prueba de las promesas*, III (Rivad., xx), pág. 446 *a*:
  "Esto sí es negociar, y esto se llama
  a Dios rogando y el dinero dando."

TRISTÁN.   Pues yo, mientras hablas, quiero
              que me haga relación
              el cochero de quién son.   435
D. GARCÍA. ¿Dirálo?
TRISTÁN.   Sí, que es cochero. (Vase.)

              [ESCENA IV]

(Salen JACINTA, LUCRECIA, ISABEL, con mantos; (cae JA-
CINTA, y llega DON GARCÍA y dale la mano.))

JACINTA.   ¡Válgame Dios!
D. GARCÍA.   Esta mano
              os servid de que os levante,
              si merezco ser (Atlante
              de un cielo tan soberano.   440
JACINTA.   Atlante devéys de ser,
              pues lo llegáys a tocar.)
D. GARCÍA. Una cosa es alcançar
              y otra cosa merecer.
              ¿Qué vitoria es la beldad   445
              alcançar, por quíen me abraso,

---

436 V. *Las Paredes oyen*, v. n. 1899:

              "El primer cochero agora
              no será que a su señora
              haya servido de Judas."

En *Los Favores del mundo*, I, 1:

              "—Al descuido has de acercarte...
                        —El cochero
              me dirá cómo se llama."

Y en I, 3:

                        "—... sin duda alguna;
              que yo pregunté al cochero
              quién es este caballero,
              y dijo: "Don Juan de Luna."

	si es favor que devo al caso,
	y no a vuestra voluntad?
	(Con mi propria mano así
	el cielo; mas ¿qué importó,
	si ha sido porque él cayó,
	y no porque yo subí?)

450

JACINTA. ¿Para qué fin se procura
merecer?

D. GARCÍA.   Para alcançar.

JACINTA. Llegar al fin, sin passar   455
por los medios, ¿no es ventura?

D. GARCÍA. Sí.

JACINTA.   Pues ¿cómo estáys quexoso
del bien que os ha sucedido,
si el no averlo merecido
os haze más venturoso?   460

D. GARCÍA. Porque, como las acciones
del agravio y el favor
reciben todo el valor
sólo de las intenciones,
        por la mano que os toqué   465
no estoy yo favorecido,
si averlo vos consentido
con essa intención no fué.
        Y, assí, sentir me dexad
que, quando tal dicha gano,   470
venga sin alma la mano
y el favor sin voluntad.

JACINTA. Si la vuestra no sabía,
de que agora me informáys,
injustamente culpáys   475
los defetos de la mía.

[ESCENA V]

(Sale Tristán.*)* *

Empiezan las materias

TRISTÁN.   [*Ap.*] El cochero hizo su oficio:
                   nuevas tengo de quién son.—
D. GARCÍA. ¿Que hasta aquí de mi afición
                   nunca tuvistes indicio?   480
JACINTA.   ¿Cómo, si jamás os vi?
D. GARCÍA. ¿Tampoco ha valido ¡ay Dios!
                   más de un año que por vos
                   he andado fuera de mí?
TRISTÁN.   (*Ap.*) ¿Un año, y ayer llegó   485
                   a la Corte?—
JACINTA.   ¡Bueno a fe!
                   ¿Más de un año? Juraré
                   que no os vi en mi vida yo.
D. GARCÍA. Quando del indiano suelo
                   por mi dicha llegué aquí,
                   la primer cosa que vi   490
                   fué la gloria de esse cielo.
                       Y aunque os entregué al momento
                   el alma, avéyslo ignorado
                   porque ocasión me ha faltado
                   de deziros lo que siento.   495
JACINTA.   ¿Soys indiano?
D. GARCÍA.   Y tales son
                   mis riquezas, pues os vi,
                   que al minado Potosí
                   le quito la presunción.
TRISTÁN.   (*Ap.*) ¿Indiano?—   500

---

* *Salen* Tristán *y* Don García, dice, equivocadamente, la ed. 1634.

JACINTA.   ¿Y sois tan guardoso
                 como la fama los haze?
D. GARCÍA. Al que más avaro nace,
                 haze el amor dadivoso.
JACINTA.   ¿Luego, si dezís verdad,   505
                 preciosas ferias espero?
D. GARCÍA. Si es que ha de dar el dinero
                 crédito a la voluntad,
                 serán pequeños empleos,
                 para mostrar lo que adoro,   510
                 daros tantos mundos de oro
                 como vos me days desseos.
                    Mas ya que ni al merecer
                 de essa divina beldad,
                 ni a mi inmensa voluntad   515
                 ha de ygualar el poder,
                    por lo menos, os servid
                 que esta tienda que os franqueo
                 dé señal de mi deseo.
JACINTA.   [Ap.] No vi tal hombre en Madrid.   520
                 Lucrecia, ¿qué te parece
                 del indiano liberal?
LUCRECIA. Que no te parece mal,
                 Jacinta, y que lo merece.—
D. GARCÍA.   Las joyas que gusto os dan.   525
                 tomad deste aparador.
TRISTÁN.   [Ap. a su amo.]
                 Mucho te arrojas, señor.—

---

525   *Ganar amigos,* I, 3:

          "Mas, puesto que no hay hacienda
          que iguale a tanta beldad,
          si lo merezco, tomad
          lo que os sirváis de la tienda."

D. García. [*A* Tristán.] ¡Estoy perdido, Tristán!—
Isabel.   [*Ap. a las damas.*]
             Don Juan viene.—
Jacinta.   Yo agradezco,
             señor, lo que me ofrecéys.   530
D. García. Mirad que me agraviaréys
             si no lográys lo que ofrezco.
Jacinta.   Yerran vuestros pensamientos,
             cavallero, en presumir
             que puedo yo recebir   535
             más que los ofrecimientos.
D. García.   Pues ¿qué ha alcanzado de vos
             el coraçón que os he dado?
Jacinta.   El averos escuchado.
D. García. Yo lo estimo.
Jacinta.   Adiós.
D. García.   Adiós,   540
             y para amaros me dad
             licencia.
Jacinta.   Para querer
             no pienso que ha menester
             licencia la voluntad. (*Vanse las mugeres.*)

[ESCENA VI]

[Don García, Tristán.]

D. García.   Síguelas.
Tristán.   Si te fatigas,   545
             señor, por saber la casa
             de la que en amor te abrasa,
             ya la sé.
D. García.   Pues no las sigas;
             que suele ser enfadosa
             la diligencia importuna.   550

TRISTÁN. "Doña Lucrecia de Luna
se llama la más hermosa,
  que es mi dueño; y la otra dama
que acompañándola viene,
sé dónde la casa tiene;   555
mas no sé cómo se llama."
  Esto respondió el cochero.
D. GARCÍA. Si es Lucrecia la más bella,
no ay más que saber, pues ella
es la que habló, y la que quiero;   560
  que, como el autor del día
las estrellas dexa atrás,
de essa suerte a las demás,
la que me cegó, vencía.
TRISTÁN.   Pues a mí la que calló   565
me pareció más hermosa.
D. GARCÍA. ¡Qué buen gusto!
TRISTÁN.   Es cierta cosa
que no tengo voto yo.
  Mas soy tan aficionado
a qualquier muger que calla,   570
que bastó para juzgalla
más hermosa aver callado.
  Mas dado, señor, que estés
errado tú, presto espero,
preguntándole al cochero   575
la casa, saber quién es.
D. GARCÍA.   Y Lucrecia, ¿dónde tiene
la suya?
TRISTÁN.   Que a la Vitoria
dixo, si tengo memoria.

578 V. Tirso, *La Celosa de sí misma*, I, 1:

D. García. Siempre esse nombre conviene   580
    a la esfera venturosa
    que da eclyptica a tal luna.

[ESCENA VII]

(*Salen* Don Juan *y* Don Felis *por otra parte.*)

D. Juan. ¿Música y cena? ¡A, fortuna!
D. García. ¿No es éste don Juan de Sosa?
Tristán.   El mismo.
D. Juan.   ¿Quién puede ser   585
    el amante venturoso
    que me tiene tan zeloso?
D. Felis. Que lo vendréys a saber
    a pocos lances, confío.
D. Juan. ¡Que otro amante le aya dado,   590
    a quien mía se ha nombrado,
    música y cena en el río!
D. García. ¡Don Juan de Sosa!
D. Juan.   ¿Quién es?
D. García. ¿Ya olvidáys a don García?
D. Juan. Veros en Madrid lo hazía,   595
    y el nuevo trage.
D. García.   Después
    que en Salamanca me vistes,
    muy otro devo de estar.

        "—¿Qué iglesia es ésta?
                        —Se llama
    la Vitoria, y toda dama,
    de silla, coche y estrado,
    la cursa."

El convento de la Victoria hacía esquina a la calle del mismo nombre y la de Espoz y Mina.

D. Juan.　Más galán soys de seglar
　　　　　que de estudiante lo fuystes.　　600
　　　　　¿Venís a Madrid de assiento?

D. García.　Sí.

D. Juan.　　Bien venido seáys.

D. García.　Vos, don Felis, ¿cómo estáys?

D. Felis.　De veros, por Dios, contento.
　　　　　Vengáys bueno en hora buena.　　605

D. García.　Para serviros.—¿Qué hazéys?
　　　　　¿De qué habláys? ¿En qué entendéys?

D. Juan.　De cierta música y cena
　　　　　que en el río dió un galán
　　　　　esta noche a una señora,　　610
　　　　　era la plática agora.

D. García.　¿Música y cena, don Juan?
　　　　　¿Y anoche?

D. Juan.　　　　　　Sí.

D. García.　　　　　　　¿Mucha cosa?
　　　　　¿Grande fiesta?

D. Juan.　　　　　　Assí es la fama.

D. García.　¿Y muy hermosa la dama?　　615

D. Juan.　Dízenme que es muy hermosa.

D. García.　¡Bien!

D. Juan.　　　　¿Qué mysterios hazéys?

D. García.　De que alabéys por tan buena
　　　　　essa dama y essa cena,
　　　　　si no es que alabando estéys　　6
　　　　　mi fiesta y mi dama assí.

D. Juan.　¿Pues tuvistes también boda
　　　　　anoche en el río?

D. García.　　　　　　Toda
　　　　　en esso la consumí.

Tristán.　(Ap.) ¿Qué fiesta o qué dama es ésta,　　625
　　　　　si a la Corte llegó ayer?—

D. Juan.   ¿Ya tenéys a quien hazer,
           tan rezién venido, fiesta?
           Presto el almor dió con vos.
D. García. No ha tan poco que he llegado   630
           que un mes no aya descansado.
Tristán.   (*Ap.*) ¡Ayer llegó, voto a Dios!
           Él lleva alguna intención.—
D. Juan.   No lo he sabido, a fe mía,
           que al punto acudido avría   635
           a cumplir mi obligación.
D. García. He estado hasta aquí secreto.
D. Juan.   Essa la causa avrá sido
           de no averlo yo sabido.
           Pero la fiesta, ¿en efeto   640
           fué famosa?
D. García.   Por ventura,
           no la vió mejor el río.
D. Juan.   (*Ap.*) Ya de zelos desvarío!—
           ¿Quién duda que la espessura
           del Sotillo el sitio os dió?   645
D. García. Tales señas me vays dando,
           don Juan, que voy sospechando
           que la sabéys como yo.
D. Juan.   No estoy de todo ignorante,
           aunque todo no lo sé: 650
           dixéronme no sé qué,
           confusamente, bastante

---

645   Sobre el Sotillo y las fiestas que en él se hacían.
V. J. de Zabaleta, *El Día de fiesta por la tarde* (1658).
Vélez de Guevara dice que el Manzanares es "el más me-
rendado y cenado de quantos ríos ay en el mundo".
(V. *Diablo Cojuelo*, edición Bonilla, pág. 86 y la nota co-
rrespondiente.)

a tenerme desseoso
de escucharos la verdad,
forçosa curiosidad   655
en un cortesano ocioso...
(*Ap.*) O en un amante con zelos.—

D. FELIS.   (*A* DON JUAN *ap.*)
Advertid quán sin pensar
os han venido a mostrar
vuestro contrario los cielos.—   660

D. GARCÍA.   Pues a la fiesta atended:
contaréla, ya que veo
que os fatiga esse desseo.

D. JUAN.   Haréysnos mucha merced.

D. GARCÍA.   Entre las opacas sombras   665
y opacidades espessas
que el soto formava de olmos
y la noche de tinieblas,
se ocultava una quadrada,
limpia y olorosa mesa,   670
a lo italiano curiosa,
a lo español opulenta.
En mil figuras prensados
manteles y servilletas,
sólo invidiaron las almas   675
a las aves y a las fieras.
Quatro aparadores puestos
en quadra correspondencia,
la plata blanca y dorada,
vidrios y barros ostentan.   680
Quedó con ramas un olmo
en todo el Sotillo apenas,
que dellas se edificaron,
en varias partes, seys tiendas.
Quatro coros diferentes   685

ocultan las quatro dellas;
otra, principios y postres,
y las viandas, la sesta.
Llegó en su coche mi dueño,
dando embidia a las estrellas;   690
a los ayres, suavidad,
y alegría a la ribera.
Apenas el pie que adoro
hizo esmeraldas la yerva,
hizo crystal la corriente,   695
las arenas hizo perlas,
quando, en copia disparados
cohetes, bombas y ruedas,
toda la región del fuego
baxó en un punto a la tierra.   700
Aun no las sulfúreas luzes
se acabaron, quando empieçan
las de veynte y quatro antorchas
a obscurecer las estrellas.
Empeçó primero el coro   705
de chirimías; tras ellas,
el de las vigüelas de arco
sonó en la segunda tienda.
Salieron con suavidad
las flautas de la tercera,   710
y en la quarta quatro vozes,
con guitarras y arpas suenan.
Entre tanto, se sirvieron
treynta y dos platos de cena,
sin los principios y postres,   715
que casi otros tantos eran.
Las frutas y las bevidas,

688   Ed. 1634: *la cesta.*

en fuentes y taças hechas
del cristal que da el invierno
y el artificio conserva,   720
de tanta nieve se cubren,
que Mançanares sospecha,
quando por el Soto passa,
que camina por la sierra.
El olfato no está ocioso   725
quando el gusto se recrea,
que de espiritus suaves,
de pomos y caçolejas
y distilados sudores
de aromas, flores y yervas,   730
en el Soto de Madrid
se vió la región sabea.
En un hombre de diamantes,
delicadas de oro flechas,
que mostrassen a mi dueño   735
su crueldad y mi firmeza,
al sauce, al junco y al mimbre,
quitaron su preeminencia:
que han de ser oro las pajas
quando los dientes son perlas.   740

---

719 y sigts.   Alude a los "pozos de nieve" que puso de
moda Pablo Charquias, calle de Fuencarral (1606). Sin
embargo, ya Pero Mexía dice en sus *Diálogos* (1547): "Ya
no había los estremos de ahora, ni las invenciones de los
salitres, ni nieves, ni los pozos, ni sótanos."
733-740 Zabaleta dice que ciertas damas llevaban "al
lado del corazón colgado un mondadientes de oro" (cit.
por Barry).
En Tirso, *Palabras y Plumas,* "Gerardo" se ve obligado
a vender botones y palillos de dientes para mantenerse él
y su amo "don Iñigo".

En esto, juntas en folla,
los quatro coros comiençan,
desde conformes distancias,
a suspender las esferas;
tanto, que, invidioso Apolo,   745
apressuró su carrera,
porque el principio del día
pusiesse fin a la fiesta.

D. JUAN.   ¡Por Dios, que la avéys pintado
de colores tan perfetas,   750
que no trocara el oyrla
por averme hallado en ella.

TRISTÁN.   (Ap.) ¡Válgate el diablo por hombre!
¡Que tan de repente pueda
pintar un combite tal   755
que a la verdad misma vença!—

D. JUAN.   (Ap. a DON FELIS.)
¡Rabio de zelos!

D. FELIS.   No os dieron
del combite tales señas.

D. JUAN.   ¿Qué importa, si en la substancia,
el tiempo y lugar concuerdan?—   760

D. GARCÍA. ¿Qué dezís?

D. JUAN.   Que fué el festín
más célebre que pudiera
hazer Alexandro Magno.

D. GARCÍA. ¡O! Son niñerías éstas
ordenadas de repente.   765
Dadme vos que yo tuviera
para prevenirme un día,
que a las romanas y griegas
fiestas que al mundo admiraron
nueva admiración pusiera.   770

(Mira adentro.)

D. FELIS.   (*A* DON JUAN *ap*.)
            Jacinta es la del estribo
            en el coche de Lucrecia.—
D. JUAN.   (*A* DON FELIS *ap*.)
            Los ojos a don García
            se le van, por Dios, tras ella.
D. FELIS.   Inquieto está y divertido.   775
D. JUAN.   Ciertas son ya mis sospechas.—
                    (*Juntos* DON JUAN *y* DON GARCÍA.)

D. JUAN.   }
D. GARCÍA. } Adiós.
D. FELIS.   Entrambos a un punto
            fuistes a una cosa mesma.
                    (*Vanse* DON JUAN *y* DON FELIS.)

            [ESCENA VIII]

            [DON GARCÍA, TRISTÁN.]

TRISTÁN.   (*Ap*.) No vi jamás despedida
            tan conforme y tan resuelta.—   780
D. GARCÍA. Aquel cielo, primer móbil
            de mis acciones, me lleva
            arrebatado tras sí.
TRISTÁN.   Dissimula y ten paciencia,
            que el mostrarse muy amante,   785
            antes daña que aprovecha,
            y siempre he visto que son
            venturosas las tibiezas.
            Las mugeres y los diablos
            caminan por una senda,   790
            que a las almas rematadas

---

781 y sigts. V. *Las Paredes oyen,* v. n. 470.

3

ni las siguen ni las tientan;
que el tenellas ya seguras
les haze olvidarse dellas,
y sólo de las que pueden   795
escapárseles se acuerdan.

D. GARCÍA. Es verdad, mas no soy dueño
de mí mismo.

TRISTÁN.   Hasta que sepas
extensamente su estado,
no te entregues tan de veras;   800
que suele dar, quien se arroja
creyendo las apariencias,
en un pantano cubierto
de verde, engañosa yerva.

D. GARCÍA. Pues oy te informa de todo.   805

TRISTÁN. Esso queda por mi cuenta.
Y agora, antes que rebiente,
dime, por Dios: ¿qué fin llevas
en las ficciones que he oydo?
Siquiera para que pueda   810
ayudarte, que cogernos
en mentira será afrenta.
Perulero te fingiste
con las damas.

D. GARCÍA.   Cosa es cierta,
Tristán, que los forasteros   815
tienen más dicha con ellas,
y más si son de las Indias,
información de riqueza.

TRISTÁN. Esse fin está entendido;
mas pienso que el medio yerras,   820

---

792 *Sientan,* por errata, en la de 1634.

pues han de saber al fin
quién eres.

D. García.   Quando lo sepan,
avré ganado en su casa
o en su pecho ya las puertas
con esse medio, y después,   825
yo me entenderé con ellas.

Tristán.   Digo que me has convencido,
señor; mas agora venga
lo de aver un mes que estás
en la Corte. ¿Qué fin llevas,   830
aviendo llegado ayer?

D. García. Ya sabes tú que es grandeza
esto de estar encubierto
o retirado en su aldea,
o en su casa descansando.   835

Tristán.   ¡Vaya muy en hora buena!
Lo del combite éntre agora.

D. García. Fingílo porque me pesa
que piense nadie que ay cosa
que mover mi pecho pueda   840
a invidia o admiración,
passiones que al hombre afrentan.
Que admirarse es ignorancia,
como imbidiar es baxeza.
Tú no sabes a qué sabe,   845
quando llega un porta nuevas
muy orgulloso a contar
una hazaña o una fiesta,
taparle la boca yo
con otra tal, que se buelva   850
con sus nuevas en el cuerpo
y que rebiente con ellas.

Tristán.   ¡Caprichosa prevención,

si bien peligrosa treta!

La fábula de la Corte   855

serás si la flor te entrevan.

D. García.   Quien vive sin ser sentido,

quien sólo el número aumenta

y haze lo que todos hazen,

¿en qué difiere de bestia?   860

Ser famosos es gran cosa,

el medio qual fuere sea.

Nómbrenme a mí en todas partes,

y murmúrenme si quiera;

pues uno, por ganar nombre,   865

abrasó el templo de Efesia.

Y, al fin, es éste mi gusto,

que es la razón de más fuerça.

Tristán.   Juveniles opiniones

sigue tu ambiciosa idea,   870

---

856 *Entrevar la flor,* término de germanía usado en
los naipes: descubrir o descomponer la trampa. V. Quevedo, *Capitulaciones de la vida de la Corte,* Rivad., XXIII,
págs. 461 y sigts.—*Entrevar* vale entender. Así en *Rinconete y Cortadillo* (Rivad., I, 137 *a*): "No entendemos...—
Qué, ¿no *entrevan?*..." Y en *La Ilustre fregona* (edición
de "La Lectura", Francisco Rodríguez Marín, pág. 292):
"... escriben trovas que no hay diablo que las entienda.
Yo, a lo menos, aunque soy Barrabás... de ninguna manera las *entrevo*".—En cierto pasaje de *El Pasajero,* de
Suárez de Figueroa: "Angustiábase el corazón del favo-
r-cido por ver se le iba *descubriendo la flor*".

> "A aquel que todo robaba
> con las armas del favor,
> le han *entendido la flor*",

decía Villamediana del Duque de Lerma, cuando cayó de
la privanza.

865 Erostrato.

y cerrar has menester,
en la Corte, la mollera. (*Vanse.*)

[*Sala en casa de* Don Sancho.]

[ESCENA IX]

(*Y salen* Jacinta *y* Isabel, *con mantos, y* Don Beltrán *y*
Don Sancho.)

Jacinta.   ¿Tan grande merced?
D. Beltrán.   No ha sido
amistad de solo un día
la que esta casa y la mía,   875
si os acordáys, se han tenido;
   y assí, no es bien que estrañéys
mi visita.
Jacinta.   Si me espanto
es, señor, por aver tanto
que merced no nos hazéys.   880
   Perdonadme que, ignorando
el bien que en casa tenía,
me tardé en la Platería
ciertas joyas concertando.
D. Beltrán.   Feliz pronóstico days   885
al pensamiento que tengo,
pues quando a casaros vengo
comprando joyas estáys.
   Con don Sancho, vuestro tío,
tengo tratado, señora,   890
hazer parentesco agora
nuestra amistad, y confío
   (puesto que, como discreto,
dize don Sancho que es justo

remitirse a vuestro gusto)   895
que esto ha de tener efeto.

    Que, pues es la hazienda mía
y calidad tan patente,
sólo falta que os contente
la persona de García.   900

    Y aunque ayer a Madrid vino
de Salamanca el mancebo,
y de invidia el rubio Febo
le ha abrasado en el camino,

    bien me atreveré a ponello   905
ante vuestros ojos claros,
fiando que ha de agradaros
desde la planta al cabello,

    si licencia le otorgáys
para que os bese la mano.   910

JACINTA.   Encarecer lo que gano
en la mano que me days,

    si es notorio, es vano intento,
que estimo de tal manera
las prendas vuestras, que diera   915
luego mi consentimiento,

---

906 Sobre los ojos verdes y los ojos negros, véase el *Quijote*, edición Rodríguez Marín, de "La Lectura", V. 201-2, nota. Alarcón gusta todavía de los "ojos claros", como G. de Cetina, a pesar de Tirso, *Antona García*, III:

    "Celebraban los amantes
    los verdes y azules antes;
    ya solamente se aprueba
    el ojo negro rasgado."

La Filis (Elena Osorio) y la Amarilis (Marta de Nevares), de Lope de Vega, tenían ojos claros y pestañas negras.

a no aver de parecer
—por mucho que en ello gano—
arrojamiento liviano
en una honrada muger.   920

Que el breve determinarse
en cosas de tanto peso,
o es tener muy poco seso
o gran gana de casarse.

Y en quanto a que yo lo vea   925
me parece, si os agrada,
que, para no arriesgar nada,
passando la calle sea.

Que si, como puede ser
y sucede a cada passo,   930
después de tratarlo, acaso
se viniesse a deshazer,

¿de qué me huvieran servido,
o qué opinión me darán
las visitas de un galán   935
con licencias de marido?

D. BELTRÁN.   Ya por vuestra gran cordura,
si es mi hijo vuestro esposo,
le tendré por tan dichoso
como por vuestra hermosura.   940

D. SANCHO.   De prudencia puede ser
un espejo la que oys.

D. BELTRÁN. No sin causa os remitís,
don Sancho, a su parecer.

---

936 V. *Los Favores del mundo*, I, 17:

"A quien nunca fué admitido,
pretendiente ni galán,
decid: ¿qué leyes le dan
las licencias de marido?"

| | Esta tarde, con García, | 945 |

                    Esta tarde, con García,   945
                    a cavallo passaré
                    vuestra calle.
JACINTA.   Yo estaré
          detrás de essa celosía.
D. BELTRÁN.   Que le miréys bien os pido,
          que esta noche he de bolver,   950
          Jacinta hermosa, a saber
          cómo os aya parecido.
JACINTA.   ¿Tan apriessa?
D. BELTRÁN.   Este cuydado
          no admiréys, que es ya forçoso;
          pues si vine desseoso,   955
          buelvo agora enamorado.
                    Y adiós.
JACINTA.   Adiós.
D. BELTRÁN. [A D. SANCHO.] ¿Dónde vays?
D. SANCHO. A serviros.
D. BELTRÁN.   No saldré. (Vase.)
D. SANCHO. Al corredor llegaré
          con vos, si licencia days. (Vase.)   960

                    [ESCENA X]

                    [JACINTA, ISABEL.]

ISABEL.   Mucha priessa te da el viejo.
JACINTA.   Yo se la diera mayor,
          pues también le está a mi honor,
          si a diferente consejo
          no me obligara el amor;   965

---

955 Pues si *viene,* en ed. 1634, por errata.
958 Aquí y en el v. n. 2831 *servir* vale "acompañar a
la puerta o encaminar".

que, aunque los impedimentos
del hábito de don Juan
—dueño de mis pensamientos—
forçosa causa me dan
de admitir otros intentos, 970
    como su amor no despido,
por mucho que lo deseo
—que vive en el alma asido—,
tiemblo, Isabel, quando creo
que otro ha de ser mi marido. 975

ISABEL.   Yo pensé que ya olvidavas
a don Juan, viendo que davas
lugar a otras pretensiones.

JACINTA.   Cáusanlo estas ocasiones,
Isabel, no te engañavas. 980
    Que como ha tanto que está
el hábito detenido,
y no ha de ser mi marido
si no sale, tengo ya
este intento por perdido. 985
    Y, assí, para no morirme,
quiero hablar y divertirme,
pues en vano me atormento;
que en un impossible intento
no apruevo el morir de firme. 990
    Por ventura encontraré
alguno tal que merezca
que mano y alma le dé.

ISABEL.   No dudo que el tiempo ofrezca
sujeto digno a tu fe; 995
    y, si no me engaño yo,
oy no te desagradó
el galán indiano.

JACINTA.   Amiga,

    ¿quieres que verdad te diga?
    Pues muy bien me pareció.   1000
      Y tanto, que te prometo
    que si fuera tan discreto,
    tan gentilhombre y galán
    el hijo de don Beltrán,
    tuviera la boda efeto.   1005

ISABEL.
      Esta tarde le verás
    con su padre por la calle.

JACINTA.
    Veré sólo el rostro y talle;
    el alma, que importa más,
    quisiera ver con hablalle.   1010

ISABEL.
      Háblale.

JACINTA.
          Hase de ofender
    don Juan si llega a sabello,
    y no quiero, hasta saber
    que de otro dueño he de ser,
    determinarme a perdello.   1015

ISABEL.
      Pues da algún medio, y advierte
    que siglos passas en vano,
    y conviene resolverte,
    que don Juan es desta suerte
    el perro del hortelano.   1020
      Sin que lo sepa don Juan
    podrás hablar, si tú quieres,
    al hijo de don Beltrán;
    que, como en su centro, están
    las traças en las mugeres.   1025

JACINTA.
      Una pienso que podría
    en este caso importar.
    Lucrecia es amiga mía:
    ella puede hazer llamar
    de su parte a don García;   1030
      que, como secreta esté

	yo con ella en su ventana,	
	este fin conseguiré.	
ISABEL.	Industria tan soberana	
	sólo de tu ingenio fué.	1035
JACINTA.	Pues parte al punto y mi intento	
	le di a Lucrecia, Isabel.	
ISABEL.	Sus alas tomaré al viento.	
JACINTA.	La dilación de un momento	
	le di que es un siglo en él.	1040

[ESCENA XI]

(DON JUAN *encuentra a* ISABEL *al salir.*—[JACINTA.])

D. JUAN.	¿Puedo hablar a tu señora?	
ISABEL.	Sólo un momento ha de ser,	
	que de salir a comer	
	mi señor don Sancho es hora. (*Vase.*)	
D. JUAN.	Ya, Jacinta, que te pierdo,	1045
	ya que yo me pierdo, ya...	
JACINTA.	¿Estás loco?	
D. JUAN.	¿Quién podrá	
	estar con tus cosas cuerdo?	
JACINTA.	Repórtate y habla passo,	
	que está en la quadra mi tío.	1050
D. JUAN.	Quando a cenar vas al río,	
	¿cómo hazes dél poco caso?	
JACINTA.	¿Qué dizes? ¿Estás en ti?	
D. JUAN.	Quando para trasnochar	
	con otro tienes lugar,	1055
	¿tienes tío para mí?	
JACINTA.	¿Trasnochar con otro? Advierte	
	que, aunque esso fuesse verdad,	

1050 *Cuadra* es una habitación cuadrada.

era mucha libertad
hablarme a mí de essa suerte;   1060
  quanto más que es desvarío
de tu loca fantasía.

D. JUAN.   Ya sé que fué don García
el de la fiesta del río;
  ya los fuegos que a tu coche,   1065
Jacinta, la salva hizieron;
ya las antorchas que dieron
sol al Soto a media noche;
  ya los quatro aparadores
con vaxillas variadas;   1070
las quatro tiendas pobladas
de instrumentos y cantores.

  Todo lo sé; y sé que el día
te halló, enemiga, en el río:
di agora que es desvarío   1075
de mi loca fantasía.

  Di agora que es libertad
el tratarte desta suerte,
quando obligan a ofenderte
mi agravio y tu liviandad.   1080

JACINTA.   ¡Plega a Dios!...
D. JUAN.   Dexa invenciones:
calla, no me digas nada,
que en ofensa averiguada
no sirven satisfaciones.

  Ya, falsa, ya sé mi daño;   1085
no niegues que te he perdido;
tu mudança me ha ofendido,
no me ofende el desengaño.

  Y aunque niegues lo que ohí,
lo que vi confessarás;   1090
que oy lo que negando estás

en sus mismos ojos vi.
    Y su padre ¿qué quería
agora aquí? ¿Qué te dixo?
¿De noche estás con el hijo   1095
y con el padre de día?
    Yo lo vi; ya mi esperança
en vano engañar dispones;
ya sé que tus dilaciones
son hijas de tu mudança.   1100
    Mas, cruel, ¡viven los cielos,
que no has de vivir contenta!
Abrásete, pues rebienta,
este vulcán de mis zelos.
    El que me haze desdichado   1105
te pierda, pues yo te pierdo.

JACINTA.   ¿Tú eres cuerdo?
D. JUAN.   ¿Cómo cuerdo,
amante y desesperado?

JACINTA.   Buelve, escucha; que si vale
la verdad, presto verás   1110
qué mal informado estás.

D. JUAN.   Voyme, que tu tío sale.
JACINTA.   No sale; escucha, que fío
satisfazerte.

D. JUAN.   Es en vano,
si aquí no me das la mano.   1115

JACINTA.   ¿La mano?—Sale mi tío.

ACTO SEGUNDO

[*Sala en casa de* Don Beltrán.]

[ESCENA I]

(*Salen* Don García, *en cuerpo, leyendo un papel, y* Tristán *y* Camino.)

D. García. "La fuerça de una ocasión me haze
            exceder del orden de mi estado. Sabrá-
            la v. m. esta noche por un balcón que
            le enseñará el portador, con lo demás
            que no es para escrito, y guarde N. Se-
            ñor..."
            ¿Quién este papel me escrive?
Camino.   Doña Lucrecia de Luna.
D. García. El alma, sin duda alguna,
            que dentro en mi pecho vive.   1120
            ¿No es esta una dama hermosa
            que oy, antes de medio día,
            estava en la Platería?
Camino.   Sí, señor.
D. García.   ¡Suerte dichosa!
            Informadme, por mi vida,   1125
            de las partes desta dama.
Camino.   Mucho admiro que su fama
            esté de vos escondida.
            Porque la avéys visto, dexo
            de encarecer que es hermosa;   1130
            es discreta y virtuosa;
            su padre es viudo y es viejo;
            dos mil ducados de renta
            los que ha de heredar serán,
            bien hechos.

D. García.	¿Oyes, Tristán?
Tristán.	Oygo, y no me descontenta. 1135
Camino.	En quanto a ser principal,
	no ay que hablar: Luna es su padre
	y fué Mendoça su madre,
	tan finos como un coral.
	Doña Lucrecia, en efeto, 1140
	merece un rey por marido.
D. García.	¡Amor, tus alas te pido
	para tan alto sujeto!—
	¿Dónde vive?
Camino.	A la Vitoria.
D. García.	Cierto es mi bien.—Que seréys, 1145
	dize aquí, quien me guiéys
	al cielo de tanta gloria.
Camino.	Serviros pienso a los dos.
D. García.	Y yo lo agradeceré.
Camino.	Esta noche bolveré, 1150
	en dando las diez, por vos.
D. García.	Esso le dad por respuesta
	a Lucrecia.
Camino.	Adiós quedad. (Vase.)

[ESCENA II]

[Don García, Tristán.]

D. García.	¡Cielos! ¿Qué felicidad, 1155
	Amor, qué ventura es ésta?
	¿Ves, Tristán, cómo llamó
	la más hermosa el cochero
	a Lucrecia, a quien yo quiero?
	Que es cierto que quien me habló 1160
	es la que el papel me embía.

TRISTÁN.	Evidente presunción.
D. GARCÍA.	Que la otra, ¿qué ocasión para escrivirme tenía?
TRISTÁN.	Y a todo mal suceder, presto de duda saldrás, que esta noche la podrás en la habla conocer.
D. GARCÍA.	Y que no me engañe es cierto, según dexó en mi sentido impresso el dulce sonido de la voz con que me ha muerto.

1160

1170

[ESCENA III]

(Sale un PAGE con un papel; dalo a DON GARCÍA.)

PAGE.	Éste, señor don García, es para vos.
D. GARCÍA.	No esté assí.
PAGE.	Criado vuestro nací.
D. GARCÍA.	Cúbrase, por vida mía.

1180

(Lee a solas DON GARCÍA.)

Papel.

"Averiguar cierta cosa
importante a solas quiero
con vos. A las siete espero
en San Blas.—*Don Juan de Sosa*."
(Ap.) ¡Válgame Dios! Desafío.
¿Qué causa puede tener

1180

1180 La ermita de San Blas, en el alto de Atocha.
San Blas era lugar de campo. El desafío del acto II, 11,
sucede en la calleja de San Blas. Barry recuerda, sobre
San Blas, *El Hechizado por fuerza,* de don Antonio de
Zamora.

don Juan, si yo vine ayer
y él cs tan amigo mío?—
Dezid al señor don Juan   1185
que esto será assí.

(Vase el PAGE.)

TRISTÁN.   Señor,
mudado estás de color.
¿Qué ha sido?

D. GARCÍA.   Nada, Tristán.

TRISTÁN.   ¿No puedo saberlo?

D. GARCÍA.   No.

TRISTÁN.   Sin duda es cosa pesada.   1190

(Vase TRISTÁN.)

D. GARCÍA.   Dame la capa y espada.—
¿Qué causa le he dado yo?

[ESCENA IV]

(Sale DON BELTRÁN. [DON GARCÍA; *después* TRISTÁN.])

D. BELTRÁN.   ¿García?...

D. GARCÍA.   ¿Señor?

D. BELTRÁN.   Los dos
a cavallo hemos de andar
juntos oy, que he de tratar   1195
cierto negocio con vos.

D. GARCÍA.   ¿Mandas otra cosa?

D. BELTRÁN.   ¿Adónde
vays quando el sol echa fuego?

(Sale TRISTÁN *y dale de vestir a* DON GARCÍA.)

D. GARCÍA.   Aquí a los trucos me llego
de nuestro vezino el Conde.   1200

D. BELTRÁN.   No apruevo que os arrojéys,
siendo venido de ayer,

4

a daros a conocer
a mil que no conocéys;
si no es que dos condiciones   1205
guardéys con mucho cuydado,
y son: que juguéys contado
y habléys contadas razones.
Puesto que mi parecer
es éste, hazed vuestro gusto.   1210

D. García. Seguir tu consejo es justo.

D. Beltrán. Hazed que a vuestro plazer
adereço se prevenga
a un cavallo para vos.

D. García. A ordenallo voy. (*Vase.*)

D. Beltrán.   Adiós.   1215

[ESCENA V]

[Don Beltrán, Tristán.]

D. Beltrán. (*Ap.*) ¡Que tan sin gusto me tenga
lo que su ayo me dixo!—
¿Has andado con García,
Tristán?

Tristán.   Señor, todo el día.

D. Beltrán. Sin mirar en que es mi hijo,   1220
si es que el ánimo fïel
que siempre en tu pecho he hallado
agora no te ha faltado,
me di lo que sientes dél.

Tristán.   ¿Qué puedo yo aver sentido   1225
en un término tan breve?

D. Beltrán. Tu lengua es quien no se atreve,
que el tiempo bastante ha sido,
y más a tu entendimiento.

Dímelo, por vida mía,   1230
sin lisonja.

TRISTÁN.   Don García,
mi señor, a lo que siento,
    que he de dezirte verdad,
pues que tu vida has jurado...

D. BELTRÁN. De essa suerte has obligado   1235
siempre a mí tu voluntad.

TRISTÁN.   ...Tiene un ingenio excelente,
con pensamientos sutiles;
mas caprichos juveniles
con arrogancia imprudente.   1240
    De Salamanca reboça
la leche, y tiene en los labios
los contagiosos resabios
de aquella caterva moça.
    Aquel hablar arrojado,   1245
mentir sin recato y modo;
aquel jactarse de todo
y hazerse en todo estremado...
    Oy, en término de un hora,
echó cinco o seys mentiras.   1250

D. BELTRÁN. ¡Válgame Dios!

TRISTÁN.   ¿Qué te admiras?
pues lo peor falta agora:
    que son tales, que podrá
cogerle en ellas qualquiera.

D. BELTRÁN. ¡A, Dios!

TRISTÁN.   Yo no te dixera   1255
lo que tal pena te da
a no ser de ti forçado.

D. BELTRÁN. Tu fe conozco y tu amor.

1241 *Reboza* por "rebosa".

Tristán.	A tu prudencia, señor,
	advertir será escusado 1260
	el riesgo que correr puedo
	si esto sabe don García,
	mi señor.
D. Beltrán.	De mí confía;
	pierde, Tristán, todo el miedo.
	Manda luego adereçar 1265
	los cavallos.

(Vase Tristán.)

[ESCENA VI]

[Don Beltrán.]

D. Beltrán.   Santo Dios,
pues esto permitís vos,
esto deve de importar.
    ¿A un hijo solo, a un consuelo
que en la tierra le quedó   1270
a mi vejez triste, dió
tan gran contrapeso el cielo?
    Aora bien, siempre tuvieron
los padres disgustos tales:
siempre vieron muchos males   1275
los que mucha edad vivieron.
    ¡Paciencia! Oy he de acabar,
si puedo, su casamiento.
Con la brevedad intento
este daño remediar,   1280
    antes que su liviandad,
en la Corte conocida,
los casamientos le impida
que pide su calidad.

Por dicha, con el cuydado   1285
que tal estado acarrea,
de una costumbre tan fea
se vendrá a aver enmendado.
Que es vano pensar que son
el reñir y aconsejar   1290
bastantes para quitar
una fuerte inclinación.

[ESCENA VII]

(*Sale* Tristán.—[Don Beltrán.])

Tristán.   Ya los cavallos están,
viendo que salir procuras,
provando las herraduras
en las guijas del çaguán.   1295
Porque con las esperanças
de tan gran fiesta, el overo
a solas está, primero,
ensayando sus mudanças;   1300
y el bayo, que ser procura
émulo al dueño que lleva,
estudia con alma nueva
movimiento y compostura.

1293 V. Lope, *Los Comendadores de Córdoba* (edición
académica, vol. XI, pág. 262 *a*):
      "Entrad: veréis cuál están,
      de española furia llenos,
      un bayo y un alazán
      desempedrando el zaguán
      y jabonando los frenos."
Esta comedia—citada por Lope desde 1604 en la lista
de *El Peregrino* y publicada en su "Parte segunda" (1609)—
es anterior a *La Verdad sospechosa.*

D. Beltrán.   Avisa, pues, a García.   1305
Tristán.   Ya te espera tan galán,
              que en la Corte pensarán
              que a estas horas sale el día.   (*Vanse.*)

(*Sala en casa de* Don Sancho.)

[ESCENA VIII]

(*Salen* Isabel *y* Jacinta.)

Isabel.   La pluma tomó al momento
              Lucrecia, en execución   1310
              de tu agudo pensamiento,
              y esta noche en su balcón,
              para tratar cierto intento,
                  le escrivió que aguardaría,
              para que puedas en él   1315
              platicar con don García.
              Camino llevó el papel:
              persona de quien se fía.
Jacinta.   Mucho Lucrecia me obliga.
Isabel.   Muestra en qualquier ocasión   1320
              ser tu verdadera amiga.
Jacinta.   ¿Es tarde?
Isabel.   Las cinco son.
Jacinta.   Aun durmiendo me fatiga
              la memoria de don Juan,
              que esta siesta le he soñado   1325
              zeloso de otro galán.
                                  (*Miran adentro.*)
Isabel.   ¡Ay, señora! Don Beltrán
              y el perulero a su lado.
Jacinta.   ¿Qué dizes?
Isabel.   Digo que aquél

que oy te habló en la Platería   1330
viene a cavallo con él.
Mírale.

JACINTA.   ¡Por vida mía
que dizes verdad, que es él!
           ¿Ay tal? ¿Cómo el embustero
se nos fingió perulero,   1335
si es hijo de don Beltrán?

ISABEL.   Los que intentan siempre dan
gran presunción al dinero,
y con esse medio, hallar
entrada en tu pecho quiso,   1340
que devió de imaginar
que aquí le ha de aprovechar
más ser Midas que Narciso.

JACINTA.   En dezir que ha que me vió
un año, también mintió,   1345
porque don Beltrán me dixo
que ayer a Madrid su hijo
de Salamanca llegó.

ISABEL.   Si bien lo miras, señora,
todo verdad puede ser,   1350
que entonces te pudo ver,
yrse de Madrid, y agora,
de Salamanca bolver.

           Y quando no, ¿qué te admira
que, quien a obligar aspira   1355
prendas de tanto valor,
para acreditar su amor,
se valga de una mentira?

           Demás que tengo por llano,
si no miente mi sospecha,   1360
que no lo encarece en vano:
que hablarte oy su padre, es flecha

que ha salido de su mano.
No ha sido, señora mía,
acaso que el mismo día   1365
que él te vió y mostró quererte,
venga su padre a ofrecerte
por esposo a don García.

JACINTA.   Dizes bien; mas imagino
que el término que passó   1370
desde que el hijo me habló
hasta que su padre vino,
fué muy breve.

ISABEL.   El conoció
quién eres; encontraría
su padre en la Platería;   1375
hablóle, y él, que no ignora
tus calidades y adora
justamente a don García,
vino a tratarlo al momento.

JACINTA.   Al fin, como fuere, sea.
De sus partes me contento;   1380
quiere el padre, él me dessea:
da por hecho el casamiento. (*Vanse.*)

[*Paseo de Atocha.*]

[ESCENA IX]

(*Salen* DON BELTRÁN *y* DON GARCÍA.)

D. BELTRÁN.   ¿Qué os parece?
D. GARCÍA.   Que animal
no vi mejor en mi vida.   1385
D. BELTRÁN. ¡Linda bestia!
D. GARCÍA.   Corregida

de espíritu racional.
¡Qué contento y bizarría!

D. BELTRÁN. Vuestro hermano don Gabriel,
que perdone Dios, en él   1390
todo su gusto tenía.

D. GARCÍA.   Ya que combida, señor,
de Atocha la soledad,
declara tu voluntad.

D. BELTRÁN. Mi pena, diréys mejor.   1395
¿Soys cavallero, García?

D. GARCÍA. Téngome por hijo vuestro.

D. BELTRÁN. ¿Y basta ser hijo mío
para ser vos cavallero?

D. GARCÍA. Yo pienso, señor, que sí.   1400

D. BELTRÁN. ¡Qué engañado pensamiento!
Sólo consiste en obrar
como cavallero el serlo.
¿Quién dió principio a las casas
nobles? Los ilustres hechos   140
de sus primeros autores.
Sin mirar sus nacimientos,
hazañas de hombres humildes
honraron sus herederos.
Luego en obrar mal o bien   1410
está el ser malo o ser bueno.
¿Es assí?

D. GARCÍA.   Que las hazañas
den nobleza, no lo niego;
mas no neguéys que sin ellas
también la da el nacimiento.   1415

D. BELTRÁN. Pues si honor puede ganar
quien nació sin él, ¿no es cierto
que, por el contrario, puede,
quien con él nació, perdello?

D. García.   Es verdad.
D. Beltrán.   Luego si vos   1420
obráys afrentosos hechos,
aunque seays hijo mío,
dexáys de ser cavallero;
luego si vuestras costumbres
os infaman en el pueblo,   1425
no importan paternas armas,
no sirven altos abuelos.
¿Qué cosa es que la fama
diga a mis oydos mesmos
que a Salamanca admiraron   1430
vuestras mentiras y enredos?
¡Qué cavallero y qué nada!
Si afrenta al noble y plebeyo
sólo el dezirle que miente,
dezid ¿qué será el hazerlo,   1435
si vivo sin honra yo,
según los humanos fueros,
mientras de aquél que me dixo
que mentía no me vengo?
¿Tan larga tenéys la espada,   1440
tan duro tenéys el pecho,
que penséys poder vengaros,
diziéndolo todo el pueblo?
¿Possible es que tenga un hombre
tan humildes pensamientos   1445
que viva sujeto al vicio
más sin gusto y sin provecho?

1423 "... pues no se puede preciar de caballero quien
toca en el vicio de mentiroso."
Cervantes, *La Gitanilla* (1612). Edición para "La Lectura", de Francisco Rodríguez Marín, pág. 58.
1426 *Armas* del escudo: insignias del linaje.

El deleyte natural
tiene a los lacivos presos;
obliga a los cudiciosos   1450
el poder que da el dinero;
el gusto de los manjares
al glotón; el passatiempo
y el cebo de la ganancia
a los que cursan el juego;   1455
su vengança al homicida;
al robador su remedio;
la fama y la presunción
al que es por la espada inquieto.
Todos los vicios, al fin,   1460
o dan gusto o dan provecho;
mas de mentir, ¿qué se saca
sino infamia y menosprecio?

D. García. Quien dize que miento yo,
             ha mentido.

D. Beltrán.   También esso   1465
             es mentir, que aun desmentir
             no sabéys sino mintiendo.

D. García. ¡Pues si days en no creerme...!

D. Beltrán. ¿No seré necio si creo
             que vos dezís verdad solo   1470
             y miente el lugar entero?
             Lo que importa es desmentir
             esta fama con los hechos,
             pensar que éste es otro mundo,
             hablar poco y verdadero;   1475
             mirar que estáys a la vista
             de un Rey tan santo y perfeto,
             que vuestros yerros no pueden

(sentido común)

1477 Alusión a Felipe III _el Santo._

hallar disculpa en sus yerros;
que tratáys aquí con grandes,   1480
títulos y cavalleros,
que, si os saben la flaqueza,
os perderán el respeto;
que tenéys barba en el rostro,
que al lado ceñís azero,   1485
que nacistes noble al fin,
y que yo soy padre vuestro.
Y no he de deziros más,
que esta sofrenada espero
que baste para quien tiene   1490
calidad y entendimiento.
Y agora, porque entendáys
que en vuestro bien me desvelo,
sabed que os tengo, García,
tratado un gran casamiento.   1495

D. GARCÍA. (Ap.) ¡Ay, mi Lucrecia!

D. BELTRÁN.   Jamás
pusieron, hijo, los Cielos
tantas, tan divinas partes
en un humano sujeto,
como en Jacinta, la hija   1500
de don Fernando Pacheco,
de quien mi vejez pretende
tener regalados nietos.

D. GARCÍA. (Ap.) ¡Ay, Lucrecia! Si es possible,
tú sola has de ser mi dueño.   1505

D. BELTRÁN. ¿Qué es esto? ¿No respondéys?

D. GARCÍA. (Ap.) ¡Tuyo he de ser, vive el Cielo!

D. BELTRÁN. ¿Qué os entristecéys? Hablad;
no me tengáys más suspenso.

D. GARCÍA. Entristézcome porque es   1510
impossible obedeceros.

D. Beltrán. ¿Por qué?
D. García.   Porque soy casado.
D. Beltrán. ¡Casado! ¡Cielos! ¿Qué es esto?
          ¿Cómo, sin saberlo yo?
D. García. Fué fuerça, y está secreto.   1515
D. Beltrán. ¡Ay padre más desdichado!
D. García. No os aflijáys, que, en sabiendo
          la causa, señor, tendréys
          por venturoso el efeto.
D. Beltrán. Acabad, pues, que mi vida   1520
          pende sólo de un cabello.
D. García. (Ap.) Agora os he menester
          sutilezas de mi ingenio.
            En Salamanca, señor,
          ay un cavallero noble,   1525
          de quien es la alcuña Errera
          y don Pedro el proprio nombre.
          A éste dió el Cielo otro cielo
          por hija, pues, con dos soles,
          sus dos purpúreas mexillas   1530
          haze[n] claros orizontes.
          Abrevio, por yr al caso,
          con dezir que quantas dotes
          pudo dar naturaleza
          en tierna edad, la componen.   1535
          Mas la enemiga fortuna,
          observante en su desorden,
          a sus méritos opuesta,
          de sus bienes la hizo pobre;
          que, demás de que su casa   1540
          no es tan rica como noble,

1512 V. v. n. 1984.
1526 *Alcuña:* alcurnia.

al mayorazgo nacieron,
antes que ella, dos varones.
A ésta, pues, saliendo al río,
la vi una tarde en su coche,   1545
que juzgara el de Faetón
si fuesse Erídano el Tormes.
No sé quién los atributos
del fuego en Cupido pone,
que yo, de un súbito yelo,   1550
me sentí ocupar entonces.
¿Qué tienen que ver del fuego
las inquietudes y ardores
con quedar absorta un alma,
con quedar un cuerpo inmóbil?   1555
Caso fué, verla, forçoso;
viéndola, cegar de amores;
pues, abrasado, seguirla,
júzguelo un pecho de bronze.
Passé su calle de día,   1560
rondé su puerta de noche;
con terceros y papeles,
le encarecí mis passiones;
hasta que, al fin, condolida
o enamorada, responde,   1565
porque también tiene Amor
jurisdición en los dioses.
Fuy acrecentando finezas
y ella aumentando favores,
hasta ponerme en el cielo   1570
de su aposento una noche.

1546 Faetón cayó con el carro del sol en el Erídano
(el Pó).

Y, quando solicitavan
el fin de mi pena enorme,
conquistando honestidades,
mis ardientes pretensiones,   1575
siento que su padre viene
a su aposento: llamóle,
porque jamás tal hazía,
mi fortuna aquella noche.
Ella, turbada, animosa,   1580
¡ muger al fin!, a empellones
mi casi difunto cuerpo
detrás de su lecho esconde.
Llegó don Pedro, y su hija,
fingiendo gusto, abraçóle,   1585
por negar el rostro en tanto
que cobrava sus colores.
Assentáronse los dos,
y él, con prudentes razones,
le propuso un casamiento   1590
con uno de los Monroys.
Ella, honesta como cauta,
de tal suerte le responde,
que ni a su padre resista,
ni a mí, que la escucho, enoje.   1595
Despidiéronse con esto,
y, quando ya casi pone
en el umbral de la puerta
el viejo los pies, entonces...,
¡ mal aya, amén, el primero   1600
que fué inventor de reloxes!,
uno que llevava yo,
a dar començó las doze.
Oyólo don Pedro, y buelto

hazia su hija. "¿De dónde   1605
vino esse relox?", le dixo.
Ella respondió: "Embióle,
para que se le aderecen,
mi primo don Diego Ponce,
por no aver en su lugar   1610
reloxero ni reloxes."
"Dádmele, dixo su padre,
porque yo esse cargo tome."
Pues entonces doña Sancha,
que éste es de la dama el nombre,   1615
a quitármele del pecho,
cauta y prevenida corre,
antes que llegar él mismo
a su padre se le antoje.
Quitémele yo, y al darle,   1620
quiso la suerte que toquen
a una pistola que tengo
en la mano los cordones.
Cayó el gatillo, dió fuego;
al tronido desmayóse   1625
doña Sancha; alborotado
el viejo, empeçó a dar vozes.
Yo, viendo el cielo en el suelo
y eclipsados sus dos soles,
juzgué sin duda por muerta   1630
la vida de mis acciones,

1605 Este pasaje recuerda el caballo, las armas, la
lanza, del romance de Blanca-Niña, que descubren la presencia del amante:

> "Blanca sois, señora mía,
> más que no el rayo del sol."

1616 Ed. 1634: "quitarmela".

pensando que cometieron
sacrilegio tan enorme,
del plomo de mi pistola,
los breves, volantes orbes.   1635
Con esto, pues, despechado,
saqué rabioso el estoque:
fueran pocos para mí,
en tal ocasión, mil hombres.
A impedirme la salida,   1640
como dos bravos leones,
con sus armas sus hermanos
y sus criados se oponen;
mas, aunque fácil por todos
mi espada y mi furia rompen,   1645
no ay fuerça humana que impida
fatales disposiciones;
pues, al salir por la puerta,
como yva arrimado, asióme
la alcayata de la aldava,   1650
por los tiros del estoque.
Aquí, para desasirme,
fué fuerça que atrás me torne,
y, entre tanto, mis contrarios,
muros de espadas me oponen.   1655
En esto cobró su acuerdo
Sancha, y para que se estorve
el triste fin que prometen
estos sucessos atroces,
la puerta cerró, animosa,   1660
del aposento, y dexóme

1651 *Tiros del estoque*: "Los pendientes de que cuelga
la espada, por estar tirantes." (Covarrubias, *Tesoro*, 1611,
fol. 44 v.)

a mí con ella encerrado,
y fuera a mis agressores.
Arrimamos a la puerta
bahules, arcas y cofres,   1665
que al fin son de ardientes yras
remedio las dilaciones.
Quisimos hazernos fuertes;
mas mis contrarios, ferozes,
ya la pared me derriban   1670
y ya la puerta me rompen.
Yo, viendo que, aunque dilate,
no es possible que revoque
la sentencia de enemigos
tan agraviados y nobles,   1675
viendo a mi lado la hermosa
de mis desdichas consorte,
y que hurtava a sus mexillas
el temor sus arreboles;
viendo quán sin culpa suya   1680
conmigo fortuna corre,
pues con industria deshaze
quanto los hados disponen,
por dar premio a sus lealtades,
por dar fin a sus temores,   1685
por dar remedio a mi muerte
y dar muerte a más passiones,
huve de darme a partido,
y pedirles que conformen
con la unión de nuestras sangres   1690
tan sangrientas dissenciones.
Ellos, que ven el peligro
y mi calidad conocen,
lo acetan, después de estar
un rato entre sí discordes.   1695

Partió a dar cuenta al Obispo
su padre, y bolvió con orden
de que el desposorio pueda
hazer qualquier sacerdote.
Hízose, y en dulce paz   1700
la mortal guerra trocóse,
dándote la mejor nuera
que nació del Sur al Norte.
Mas en que tú no lo sepas
quedamos todos conformes,   17(5
por no ser con gusto tuyo
y por ser mi esposa pobre;
pero, ya que fué forçoso
saberlo, mira si escoges
por mejor tenerme muerto   1710
que vivo y con muger noble.

D. BELTRÁN. Las circunstancias del caso
son tales, que se conoce
que la fuerça de la suerte
te destinó essa consorte,   1715
y assí, no te culpo en más
que en callármelo.

D. GARCÍA.   Temores
de darte pesar, señor,
me obligaron.

D. BELTRÁN.   Si es tan noble,
¿qué importa que pobre sea?   1720
¡Quánto es peor que lo ignore,
para que, aviendo empeñado
mi palabra, agora torne
con esso a doña Jacinta!
¡Mira en qué lance me pones!   1725
Toma el cavallo, y temprano,
por mi vida, te recoje,

porque de espacio tratemos
de tus cosas esta noche. (*Vase.*)

D. García. Yré a obedecerte al punto   1730
que toquen las oraciones.

[ESCENA X]

[Don García.]

Dichosamente se ha hecho.
Persuadido el viejo va:
ya del mentir no dirá
que es sin gusto y sin provecho;   1735
  pues es tan notorio gusto
el ver que me aya creydo,
y provecho aver huydo
de casarme a mi disgusto.
  ¡Bueno fué reñir conmigo   1740
porque en quanto digo miento,
y dar crédito al momento
a quantas mentiras digo!
  ¡Qué fácil de persuadir
quien tiene amor suele ser!   1745
Y ¡qué fácil en creer
el que no sabe mentir!
  Mas ya me aguarda don Juan.—
                          (*Dirá adentro.*)

¡Ola! Llevad el cavallo.—
Tan terribles cosas hallo   1750
que sucediéndome van,
  que pienso que desvarío:
vine ayer y, en un momento,
tengo amor y casamiento
  y causa de desafío.   1755

[ESCENA XI]

(Sale DON JUAN.—[DON GARCÍA.])

D. JUAN.   Como quien soys lo avéys hecho,
          don García.
D. GARCÍA.   ¿Quién podía
          sabiendo la sangre mía,
          pensar menos de mi pecho?
              Mas vamos, don Juan, al caso   1760
          por que llamado me avéys.
          Dezid, ¿qué causa tenéys
          (que por sabella me abraso)
          de hazer este desafío?
D. JUAN.   Essa dama a quien hizistes,   1765
          conforme vos me dixistes,
          anoche fiesta en el río,
              es causa de mi tormento,
          y es con quien dos años ha
          que, aunque se dilata, está   1770
          tratado mi casamiento.
              Vos ha un mes que estáys aquí,
          y de esso, como de estar
          encubierto en el lugar
          todo esse tiempo de mí,   1175
              colijo que, aviendo sido
          tan público mi cuydado,
          vos no lo avéys ignorado,
          y, assí, me avéys ofendido.
              Con esto que he dicho, digo   1780
          quanto tengo que dezir,
          y es que, o no avéys de seguir
          el bien que ha tanto que sigo,
          o, si acaso os pareciere

mi petición mal fundada,   1785
se remita aquí a la espada,
y la sirva el que venciere.

D. García.   Pésame que, sin estar
del caso bien informado,
os ayáys determinado   1790
a sacarme a este lugar.
La dama, don Juan de Sosa,
de mi fiesta, vive Dios
que ni la avéys visto vos,
ni puede ser vuestra esposa;   1795
que es casada esta muger,
y ha tan poco que llegó
a Madrid, que sólo yo
sé que la he podido ver.
Y, quando éssa huviera sido,   1800
de no verla más os doy
palabra, como quien soy,
o quedar por fementido.

D. Juan.   Con esso se asseguró
la sospecha de mi pecho   1805
y he quedado satisfecho.

D. García. Falta que lo quede yo,
que averme desafiado
no se ha de quedar assí;
libre fué el sacarme aquí,   810
mas, aviéndome sacado,
me obligastes, y es forçoso,
puesto que tengo de hazer
como quien soy, no bolver
sino muerto o vitorioso.   1815

1790 Ed. 1634: *"ayas"*.

D. JUAN.   Pensado, aunque a mis desvelos
            ayáys satisfecho assí,
            que aún dexa cólera en mí
            la memoria de mis zelos.
                    (*Sacan las espadas y acuchíllanse.*)

            [ESCENA XII]

            (*Sale* DON FELIS.—[DICHOS.])

D. FELIS.   Deténganse, cavalleros,   1820
            que estoy aquí yo.
D. GARCÍA.   ¡ Que venga
            agora quien me detenga !
D. FELIS.   Vestid los fuertes azeros,
              que fué falsa la ocasión
            desta pendencia.
D. JUAN.   Ya avía   1825
            dícholo assí don García;
            pero, por la obligación
              en que pone el desafío,
            desnudó el valiente azero.
D. FELIS.   Hizo como cavallero   1830
            de tanto valor y brío.
              Y, pues bien quedado avéys
            con esto, merezca yo
            que, a quien de zeloso erró,
            perdón y las manos deys.   1835
                    (*Danse las manos.*)
D. GARCÍA. Ello es justo, y lo mandáys.
            Mas mirad de aquí adelante,
            en caso tan importante,
            don Juan, cómo os arrojáys.
              Todo lo avéys de intentar   1840
            primero que el desafío,

que empeçar es desvarío
por donde se ha de acabar. (*Vase.*)

[ESCENA XIII]

[DON JUAN, DON FELIS.]

D. FELIS.   Estraña ventura ha sido
aver yo a tiempo llegado.   1845
D. JUAN.   ¿Que en efeto me he engañado?
D. FELIS.   Sí.
D. JUAN.   ¿De quién lo avéys sabido?
D. FELIS.   Súpelo de un escudero
de Lucrecia.
D. JUAN.   Dezid, pues,
¿cómo fué?
D. FELIS.   La verdad es   1850
que fué el coche y el cochero
de doña Jacinta anoche
al Sotillo, y que tuvieron
gran fiesta las que en él fueron;
pero fué prestado el coche.   1855
Y el caso fué que, a las horas
que fué a ver Jacinta bella
a Lucrecia, ya con ella
estavan las matadoras,
las dos primas de la quinta.   1860
D. JUAN.   ¿Las que en el Carmen vivieron?
D. FELIS.   Sí. Pues ellas le pidieron
el coche a doña Jacinta,
y en él, con la escura noche,
fueron al río las dos.   1865
Pues vuestro paje, a quien vos
dexastes siguiendo el coche,

como en él dos damas vió
entrar quando anochecía
y noticia no tenía   1870
de otra visita, creyó
ser Jacinta la que entrava
y Lucrecia.

D. JUAN.   Justamente.
D. FELIS. Siguió el coche diligente
y, quando en el soto estava,   1875
   entre la música y cena
lo dexó y bolvió a buscaros
a Madrid, y fué el no hallaros
ocasión de tanta pena;
   porque, yendo vos allá,   1880
se deshiziera el engaño.
D. JUAN. En esso estuvo mi daño.
Mas tanto gusto me da
   el saber que me engañé,
que doy por bien empleado   1885
el disgusto que he passado.
D. FELIS. Otra cosa averigüé,
   que es bien graciosa.
D. JUAN.   Dezid.
D. FELIS. Es que el dicho don García
llegó ayer en aquel día   1890
de Salamanca a Madrid,
   y en llegando se acostó,
y durmió la noche toda,
y fué embeleco la boda
y festín que nos contó.   1895
D. JUAN. ¿Qué dezís?
D. FELIS.   Esto es verdad.
D. JUAN. ¿Embustero es don García?
D. FELIS. Esso un ciego lo vería;

porque tanta variedad
    de tiendas, aparadores,   1900
vaxillas de plata y oro,
tanto plato, tanto coro
de instrumentos y cantores,
    ¿no eran mentira patente?

D. JUAN.   Lo que me tiene dudoso   1905
es que sea mentiroso
un hombre que es tan valiente;
    que de su espada el furor
diera a Alcides pesadumbre.

D. FELIS.   Tendrá el mentir por costumbre   1910
y por herencia el valor.

D. JUAN.   Vamos, que a Jacinta quiero
pedille, Felis, perdón,
y dezille la ocasión
con que esforçó este embustero   1915
    mi sospecha.

D. FELIS.   Desde aquí
nada le creo, don Juan.

D. JUAN.   Y sus verdades serán
ya consejos para mí. (*Vanse.*)

[*Calle.*]

[ESCENA XIV]

(*Salen* TRISTÁN, DON GARCÍA *y* CAMINO, *de noche.*)

D. GARCÍA.   Mi padre me dé perdón,   1920
que forçado le engañé.

TRISTÁN.   ¡Ingeniosa escusa fué!

1909 Hércules.
1919 Los editores modernos ponen "consejas".

Pero, dime: ¿qué invención
agora piensas hazer
con que no sepa que ha sido   1925
el casamiento fingido?

D. GARCÍA.   Las cartas le he de coger
que a Salamanca escriviere,
y, las respuestas fingiendo
yo mismo, yré entreteniendo   1930
la ficción quanto pudiere.

[ESCENA XV]

(*Salen* JACINTA, LUCRECIA *e* ISABEL *a la ventana.* [DON
GARCÍA, TRISTÁN *y* CAMINO, *en la calle.*])

JACINTA.   Con esta nueva bolvió
don Beltrán bien descontento,
quando ya del casamiento
estava contenta yo.   1935

LUCRECIA.   ¿Que el hijo de don Beltrán
es el indiano fingido?

JACINTA.   Sí, amiga.

LUCRECIA.   ¿A quién has oydo
lo del banquete?

JACINTA.   A don Juan.

LUCRECIA.   Pues ¿quándo estuvo contigo?   1940

JACINTA.   Al anochecer me vió,
y en contármelo gastó
lo que pudo estar conmigo.

LUCRECIA.   Grandes sus enredos son.
¡Buen castigo te merece!   1945

ESCENA XV: noche del mismo día.

JACINTA.   Estos tres hombres, parece
                que se acercan al balcón.
LUCRECIA.   Vendrá al puesto don García,
                que ya es hora.
JACINTA.   Tú, Isabel,
                mientras hablamos con él   1950
                a nuestros viejos espía.
LUCRECIA.   Mi padre está refiriendo
                bien de espacio un cuento largo
                a tu tío.
ISABEL.   Yo me encargo
                de avisaros en viniendo. (*Vase.*)   1955
CAMINO.   [*A* D. GARCÍA.] Este es el balcón adonde
                os espera tanta gloria. (*Vase.*)

                    [ESCENA XVI]

[DON GARCÍA *y* TRISTÁN, *en la calle;* JACINTA *y* LUCRECIA,
  a la ventana.]

LUCRECIA.   Tú eres dueño de la historia;
                tú en mi nombre le responde.
D. GARCÍA.   ¿Es Lucrecia?
JACINTA.   ¿Es don García?   1960
D. GARCÍA.   Es quien oy la joya halló
                más preciosa que labró
                el Cielo en la Platería;
                   es quien, en llegando a vella,
                tanto estimó su valor,   1965
                que dió, abrasado de amor,
                la vida y alma por ella.

                _____

    1958 *Dueño de la historia,* como en Lope (*Peregrino,*
1604, fol. 5 v.): "donde acaso estava el dueño de aquellas
quexas."

Soy, al fin, el que se precia
de ser vuestro, y soy quien oy
comienço a ser, porque soy   1970
el esclavo de Lucrecia.;

JACINTA.   [*Ap. a* LUCRECIA.]
Amiga, este cavallero
para todas tiene amor.

LUCRECIA.   El hombre es embarrador.

JACINTA.   Él es un gran embustero.—   1975

D. GARCÍA.   Ya espero, señora mía,
lo que me queréys mandar.

JACINTA.   Ya no puede aver lugar
lo que trataros quería...

TRISTÁN.   (*Al cído [a su amo].*)
¿Es ella?

D. GARCÍA.   Sí.—

JACINTA.   ...Que trataros   1980
un casamiento intenté
bien importante, y ya sé
que es impossible casaros.

D. GARCÍA.   ¿Por qué?

JACINTA.   Porque soys casado.

D. GARCÍA.   ¿Que yo soy casado?

JACINTA.   Vos.   1985

D. GARCÍA.   Soltero soy, vive Dios.
Quien lo ha dicho os ha engañado.

JACINTA.   [*Ap. a* LUCRECIA.]
¿Viste mayor embustero?

LUCRECIA.   No sabe sino mentir.—

JACINTA.   ¿Tal me queréys persuadir?   1990

D. GARCÍA.   Vive Dios, que soy soltero.

JACINTA.	¡Y lo jura!
LUCRECIA.	Siempre ha sido

costumbre del mentiroso,
de su crédito dudoso,
jurar para ser creydo.—   1995

D. GARCÍA.   Si era vuestra blanca mano
con la que el cielo quería
colmar la ventura mía,
no pierda el bien soberano,
    pudiendo essa falsedad   2000
provarse tan fácilmente.

JACINTA.   [*Ap.*] ¡Con qué confiança miente!
¿No parece que es verdad?—

D. GARCÍA.   La mano os daré, señora,
y con esso me creeréys.   2005

JACINTA.   Vos soys tal, que la daréys
a trezientas en un hora.

D. GARCÍA.   Mal acreditado estoy
con vos.

JACINTA.   Es justo castigo;
porque mal puede conmigo   2010
tener crédito quien hoy
    dixo que era perulero
siendo en la Corte nacido;
y, siendo de ayer venido,
afirmó que ha un año entero   2015
    que está en la Corte; y aviendo
esta tarde confessado
que en Salamanca es casado,
se está agora desdiziendo;
    y quien, passando en su cama   2020
toda la noche, contó
que en el río la passó
haziendo fiesta a una dama.

Tristán.	[*Ap.*] Todo se sabe.—
D. García.	Mi gloria,

escuchadme, y os diré   2025
verdad pura, que ya sé
en qué se yerra la historia.

Por las demás cosas passo,
que son de poco momento,
por tratar del casamiento,   2030
que es lo importante del caso.

Si vos huviérades sido
causa de aver yo afirmado,
Lucrecia, que soy casado,
¿será culpa aver mentido?   2035

Jacinta.	¿Yo la causa?
D. García.	Sí, señora.
Jacinta.	¿Cómo?
D. García.	Dezíroslo quiero.
Jacinta.	[*Ap. a* Lucrecia.]

Oye, que hará el embustero
lindos enredos agora.—

D. García.	Mi padre llegó a tratarme 2040

de darme otra muger oy;
pero yo, que vuestro soy,
quise con esso escusarme.

Que, mientras hazer espero
con vuestra mano mis bodas,   2045
soy casado para todas,
sólo para vos soltero.

Y, como vuestro papel
llegó esforçando mi intento,
al tratarme el casamiento   2050
puse impedimento en él.

Este es el caso: mirad
si esta mentira os admira,

	quando ha dicho esta mentira	
	de mi afición la verdad.	2055
LUCRECIA.	(*Ap.*) Mas ¿si lo fuesse?—	
JACINTA.	[*Ap.*] ¡Qué buena	

la traçó, y qué de repente!—
Pues ¿cómo tan brevemente
os puedo dar tanta pena?

¡Casi aun no visto me avéys   2060
y ya os mostráys tan perdido!
¿Aún no me avéys conocido
y por muger me queréys?

D. GARCÍA.   Oy vi vuestra gran beldad
la vez primera, señora;   2065
que el amor me obliga agora
a deziros la verdad.

Mas si la causa es divina,
milagro el efeto es,
que el dios niño, no con pies,   2070
sino con alas camina.

Dezir que avéys menester
tiempo vos para matar,
fuera, Lucrecia, negar
vuestro divino poder.   2075

Dezís que sin conoceros
estoy perdido: ¡pluguiera
a Dios que no os conociera,
por hazer más en quereros!

Bien os conozco: las partes   2080
sé bien que os dió la fortuna,
que sin eclypse soys luna,
que soys mudança sin martes,

2083 Los editores modernos corrigen: "Mendoza sin
martes". El martes es día aciago, que pone Quevedo en

	que es difunta vuestra madre,	
	que soys sola en vuestra casa,	2085
	que de mil doblones passa	
	la renta de vuestro padre.	
	Ved si estoy mal informado.	
	¡Oxalá, mi bien, que assí	
	lo estuviérades de mí!	2090
LUCRECIA.	(*Ap.*) Casi me pone en cuydado.—	
JACINTA.	Pues Jacinta ¿no es hermosa?	
	¿No es discreta, rica y tal	
	que puede el más principal	
	dessealla por esposa?	2095
D. GARCÍA.	Es discreta, rica y bella;	
	mas a mí no me conviene.	
JACINTA.	Pues, dezid, ¿qué falta tiene?	
D. GARCÍA.	La mayor, que es no querella.	
JACINTA.	Pues yo con ella os quería	2100
	casar, que essa sola fué	
	la intención con que os llamé.	
D. GARCÍA.	Pues será vana porfía;	
	que por aver intentado	
	mi padre, don Beltrán, oy	2105
	lo mismo, he dicho que estoy	
	en otra parte casado.	
	Y si vos, señora mía,	
	intentáys hablarme en ello,	
	perdonad, que por no hazello	2110
	seré casado en Turquía.	

---

su capítulo de los agüeros (*Libro de todas las cosas...*); y
alude también a la superstición del apellido Mendoza: "Si
se te derrama el salero, y no eres Mendoza..." (Rivad.,
XXIII, 479 *a*).—Suárez de Figueroa, en *El Pasajero*:
"que si uno (un genovés), y en mi patria, era, sin ser
Mendoza, para mí, un *martes*", etc.

Esto es verdad, vive Dios,
porque mi amor es de modo
que aborrezco aquello todo,
mi Lucrecia, que no es vos.   2115

LUCRECIA.   (*Ap.*) ¡Oxalá!—
JACINTA.   ¡Que me tratéys
con falsedad tan notoria!
Dezid, ¿no tenéys memoria,
o vergüença no tenéys?
            ¿Cómo, si oy dixistes vos   2120
a Jacinta que la amáys,
agora me lo negáys?

D. GARCÍA.   ¡Yo a Jacinta! Vive Dios,
            que sola con vos he hablado
desde que entré en el lugar.   2125

JACINTA.   Hasta aquí pudo llegar
el mentir desvergonçado.
            Si en lo mismo que yo vi
os atrevéys a mentirme,
¿qué verdad podréys dezirme?   2130
            Ydos con Dios, y de mí
podéys desde aquí pensar
—si otra vez os diere oydo—
que por divertirme ha sido;
como quien, para quitar   2135
el enfadoso fastidio
de los negocios pesados,
gasta los ratos sobrados
en las fábulas de Ovidio. (*Vasc.*)

D. GARCÍA.   Escuchad, Lucrecia hermosa.   2140
LUCRECIA.   (*Ap.*) Confusa quedo. (*Vase.*)
D. GARCÍA.   ¡Estoy loco!

2115 Ed. 1634: q. n. *en* vos.

¿Verdades valen tan poco?
TRISTÁN.   En la boca mentirosa.
D. GARCÍA.   ¡Que haya dado en no creer
quanto digo!
TRISTÁN.   ¿Qué te admiras,   2145
si en quatro o cinco mentiras
te ha acabado de coger?
    De aquí, si lo consideras,
conocerás claramente
que, quien en las burlas miente,   2150
pierde el crédito en las veras.

ACTO TERCERO

[*Sala en casa de* DON SANCHO.]

[ESCENA I]

(*Sale* CAMINO *con un papel; dalo a* LUCRECIA.)

CAMINO.   Este me dió para ti
Tristán, de quien don García
con justa causa confía,
lo mismo que tú de mí;   2155
    que, aunque su dicha es tan corta
que sirve, es muy bien nacido,
y de suerte ha encarecido
lo que tu respuesta importa,
    que jura que don García   2160
está loco.
LUCRECIA.   ¡Cosa estraña!
¿Es possible que me engaña
quien desta suerte porfía?

ESCENA I: Al día siguiente, por la mañana.

El más firme enamorado
se cansa si no es querido,   2165
¿y éste puede ser fingido,
tan constante y desdeñado?

CAMINO.   Yo, al menos, si en las señales
se conoce el coraçón,
ciertos juraré que son,   2170
por las que he visto, sus males.

Que quien tu calle passea
tan constante noche y día,
quien tu espessa celosía
t̃ atento bruxulea;   2175
quien ve que de tu balcón,
quando él viene, te retiras,
y ni te ve ni le miras,
y está firme en tu afición;
quien llora, quien desespera,   2180
quien, porque contigo estoy,
me da dineros—que es oy
la señal más verdadera—,
yo me afirmo en que dezir
que miente es gran desatino.   2185

LUCRECIA.   Bien se echa de ver, Camino,
que no le has visto mentir.

¡Pluguiera a Dios fuera cierto
su amor! Que, a dezir verdad,
no tarde en mi voluntad   2190
hallaran sus ansias puerto.

Que sus encarecimientos,
aunque no los he creydo,

2168   Ed. 1634: *alomenos.*
2175   *Brujulear,* vale espiar, acechar, mirar como por
brújula.

por lo menos han podido
despertar mis pensamientos.   2195
    Que, dado que es necedad
dar crédito al mentiroso,
como el mentir no es forçoso
y puede dezir verdad,
    oblígame la esperança   2200
y el proprio amor a creer
que conmigo puede hazer
en sus costumbres mudança.
    Y assí—por guardar mi honor,
si me engaña lisonjero,   2205
y, si es su amor verdadero,
porque es digno de mi amor—,
    quiero andar tan advertida
a los bienes y a los daños,
que ni admita sus engaños   2210
ni sus verdades despida.

CAMINO.   De esse parecer estoy.
LUCRECIA.   Pues dirásle que, cruel,
rompí, sin vello, el papel;
que esta respuesta le doy.   2215
    Y luego, tú, de tu aljava,
le di que no desespere,
y que, si verme quisiere,
vaya esta tarde a la otava
de la Madalena.

CAMINO.   Voy.   2220
LUCRECIA.   Mi esperança fundo en ti.

2220 El convento de la Magdalena, demolido en 1836,
cuya huerta daba a la calle del mismo nombre—entre la
plaza del Progreso y Atocha—, calle donde alguna vez vivió Cervantes.

CAMINO.   No se perderá por mí,
           pues ves que Camino soy. (*Vanse.*)

[*Sala en casa de* DON BELTRÁN.]

[ESCENA II]

(*Y salen* DON BELTRÁN, DON GARCÍA *y* TRISTÁN. DON
BELTRÁN *saca una carta abierta; dala a* DON GARCÍA.)

D. BELTRÁN.   ¿Avéys escrito, García?
D. GARCÍA.   Esta noche escriviré.   2225
D. BELTRÁN. Pues abierta os la daré;
            por que, leyendo la mía,
               conforme a mi parecer
            a vuestro suegro escriváys;
            que determino que vays   2230
            vos en persona a traer
               vuestra esposa, que es razón;
            porque pudiendo traella
            vos mismo, embiar por ella
            fuera poca estimación.   2235
D. GARCÍA.   Es verdad; mas sin efeto
            será agora mi jornada.
D. BELTRÁN. ¿Por qué?
D. GARCÍA.   Porque está preñada;
            y hasta que un dichoso nieto
            te dé, no es bien arriesgar   2240
            su persona en el camino.
D. BELTRÁN. ¡Jesús! Fuera desatino
            estando assí caminar.

2223 V. v. n. 2334.
2226 Sobrentendido: "la carta".

      Mas dime: ¿cómo hasta aquí
      no me lo has dicho, García?   2245

D. GARCÍA. Porque yo no lo sabía;
      y, en la que ayer recebí
      de doña Sancha, me dize
      que es cierto el preñado ya.

D. BELTRÁN. Si un nieto varón me da   2250
      hará mi vejez felice.
      Muestra: que añadir es bien
           (*Tómale la carta que le avía dado.*)
      quánto con esto me alegro.
      Mas di, ¿quál es de tu suegro
      el proprio nombre?

D. GARCÍA.   ¿De quién?   2255

D. BELTRÁN. De tu suegro.

D. GARCÍA. (*Ap.*)   Aquí me pierdo.—
      Don Diego.

D. BELTRÁN.   O yo me he engañado,
      o otras veces le has nombrado
      don Pedro.

D. GARCÍA.   También me acuerdo
      de esso mismo; pero son   2260
      suyos, señor, ambos nombres.

D. BELTRÁN. ¿Diego y Pedro?

D. GARCÍA.   No te assombres;
      que, por una condición,
      "don Diego" se ha de llamar
      de su casa el sucessor.   2265
      Llamávase mi señor
      "don Pedro" antes de heredar;
      y como se puso luego
      "don Diego" porque heredó,

2263 *Condición*: cláusula testamentaria.

después acá se llamó   2270
ya "don Pedro", ya "don Diego".

D. BELTRÁN.   No es nueva essa condición
en muchas casas de España.
A escrivirle voy. (*Vase*.)

[ESCENA III]

[DON GARCÍA, TRISTÁN.]

TRISTÁN.   Estraña
fué esta vez tu confusión.   2275
D. GARCÍA.   ¿Has entendido la historia?
TRISTÁN.   Y huvo bien en qué entender.
El que miente ha menester
gran ingenio y gran memoria.
D. GARCÍA.   Perdido me vi.
TRISTÁN.   Y en esso   2280
pararás al fin, señor.
D. GARCÍA.   Entre tanto de mi amor
veré el bueno o mal sucesso.
¿Qué ay de Lucrecia?
TRISTÁN.   Imagino,
aunque de dura se precia,   2285
que has de vencer a Lucrecia
sin la fuerça de Tarquino.
D. GARCÍA.   ¿Recibió el villete?
TRISTÁN.   Sí;
aunque a Camino mandó
que diga que lo rompió,   2290
que él lo ha fiado de mí.
Y, pues lo admitió, no mal
se negocia tu deseo;

si aquel epigrama creo
que a Nebia escrivió Marcial: 2295
"Escriví; no respondió
Nebia: luego dura está;
mas ella se ablandará,
pues lo que escriví leyó."

D. GARCÍA.   Que dice verdad sospecho.   2300

TRISTÁN.   Camino está de tu parte,
y promete revelarte
los secretos de su pecho;

y que ha de cumplillo espero
si andas tú cumplido en dar,   2305
que para hazer confessar
no ay cordel como el dinero.

Y aun fuera bueno, señor,
que conquistaras tu ingrata
con dádivas, pues que mata   2310
con flechas de oro el amor.

D. GARCÍA.   Nunca te he visto grossero,
sino aquí, en tus pareceres.
¿Es ésta de las mugeres
que se rinden por dinero?   2315

TRISTÁN.   Virgilio dize que Dido
fué del troyano abrasada,
de sus dones obligada
tanto como de Cupido.

¡Y era reina! No te espantes   •   2320
de mis pareceres rudos,
que escudos vencen escudos,

2296   Lib. II, Ep. IX. V. Citado también en *Las Paredes
oyen*.

2307   *Cordel*: un tormento.

2320   Véase también la primera escena de *Las Paredes
oyen*.

              diamantes labran diamantes.
D. García.   ¿No viste que la ofendió
              mi oferta en la Platería?   2325
Tristán.   Tu oferta la ofendería,
              señor, que tus joyas no.
                   Por el uso te govierna;
              que a nadie en este lugar
              por desvergonçado en dar   2330
              le quebraron braço o pierna.
D. García.   Dame tú que ella lo quiera,
              que darle un mundo imagino.
Tristán.   Camino dará camino,
              que es el polo desta esfera.   2335
                   Y por que sepas que está
              en buen estado tu amor,

2331 Suplicio de criminales.
2334 V. *Mudarse por mejorarse*, II, 12:

> "Yo me llamo Redondo, y soy agudo."

Idem, II, 14:

> "... Soy Redondo, y quisiera
> que por mí no se dijera
> esto de "cayó redondo"."

Lope, *Al pasar del arroyo*, II, 7:

> "Benito.   ¿Quién es Mayo?
> Mayo.   Cierto mes.
> Benito.   Pensé que era vuestro nombre."

Calderón, *La Vida es sueño*, II, 2:

> "sin mirar que soy Clarín,
> y que, si el tal Clarín suena,
> podrá decir cuanto pasa..."

Alonso de Camino se llamaba el repostero de la fiesta de San Juan de Alfarache, a que asistió Alarcón en su mocedad. (V. el prólogo.)

	ella le mandó, señor,	
	que te dixesse que oy va	
	Lucrecia a la Madalena	2340
	a la fiesta de la otava,	
	como que él te lo avisava.	
D. García.	¡Dulce alivio de mi pena!	
	¿Con esse espacio me das	
	nuevas que me buelven loco?	2345
Tristán.	Dóytelas tan poco a poco	
	por que dure el gusto más. *(Vanse.)*	

[*Claustro del convento de la Magdalena, con puerta
a la iglesia.*]

[ESCENA IV]

(Salen Jacinta *y* Lucrecia, *con mantos.)*

Jacinta.	Qué, ¿prosigue don García?	
Lucrecia.	De modo que, con saber	
	su engañoso proceder,	
	como tan firme porfía,	2350
	casi me tiene dudosa.	
Jacinta.	Quiçá no eres engañada,	
	que la verdad no es vedada	
	a la boca mentirosa.	2355
	Quiçá es verdad que te quiere,	
	y más donde tu beldad	
	assegura essa verdad	
	en qualquiera que te viere.	
Lucrecia.	Siempre tú me favoreces;	2360
	mas yo lo creyera assí	

Escena IV: Por la tarde del mismo día. V. n. 2219-20.

a no averte visto a ti
que al mismo sol obscureces.

JACINTA.   Bien sabes tú lo que vales,
y que en esta competencia   2365
nunca ha salido sentencia
por tener votos yguales.

Y no es sola la hermosura
quien causa amoroso ardor,
que también tiene el amor   2370
su pedaço de ventura.

Yo me holgaré que por ti,
amiga, me aya trocado,
y que tú ayas alcançado
lo que yo no merecí;   2375

porque ni tú tienes culpa
ni él me tiene obligación.
Pero ve con prevención,
que no te queda disculpa

si te arrojas en amar   2380
y al fin quedas engañada,
de quien estás ya avisada
que sólo sabe engañar.

LUCRECIA.   Gracias, Jacinta, te doy;
mas tu sospecha corrige,   2385
que estoy por creerle dixe,
no que por quererle estoy.

JACINTA.   Obligaráte el creer
y querrás, siendo obligada,
y, assí, es corta la jornada   2390
que ay de creer a querer.

LUCRECIA.   Pues ¿qué dirás si supieres
que un papel he recebido?

JACINTA.   Diré que ya le has creydo,
y aun diré que ya le quieres.   2395

LUCRECIA.   Erraráste; y considera
que tal vez la voluntad
haze por curiosidad
lo que por amor no hiziera.
          ¿Tú no le hablaste gustosa   2400
en la Platería?

JACINTA.   Sí.

LUCRECIA.   ¿Y fuyste, en oyrle allí,
enamorada o curiosa?

JACINTA.   Curiosa.

LUCRECIA.   Pues yo con él
curiosa también he sido,   05
como tú en averle oído,
en recebir su papel.

JACINTA.   Notorio verás tu error
si adviertes que es el oyr
cortesía, y admitir   2410
un papel claro favor.

LUCRECIA.   Esso fuera a saber él
que su papel recebí;
mas él piensa que rompí,
sin leello, su papel.   2415

JACINTA.   Pues, con esso, es cierta cosa
que curiosidad ha sido.

LUCRECIA.   En mi vida me ha valido
tanto gusto el ser curiosa.
          Y por que su falsedad   2420
conozcas, escucha y mira
si es mentira la mentira
que más parece verdad.

          (Saca un papel y ábrele y lee en secreto.)

[ESCENA V]

(Salen CAMINO, GARCÍA *y* TRISTÁN *por otra parte.* [DICHAS.])

CAMINO.	¿Veys la que tiene en la mano un papel?
D. GARCÍA.	Sí.
CAMINO.	Pues aquélla es Lucrecia.

CAMINO.   ¿Veys la que tiene en la mano
un papel?

D. GARCÍA.   Sí.

CAMINO.   Pues aquélla   2425
es Lucrecia.

D. GARCÍA. (*Ap.*)   ¡Oh, causa bella
de dolor tan inhumano!
Ya me abraso de zeloso.—
¡Oh, Camino, quánto os devo!

TRISTÁN.   [*A* CAMINO.]
Mañana os vestís de nuevo.   2430

CAMINO.   Por vos he de ser dichoso.— (*Vase.*)

D. GARCÍA. Llegarme, Tristán, pretendo
adonde, sin que me vea,
si possible fuere, lea
el papel que está leyendo.   2435

TRISTÁN.   No es difícil; que si vas
a esta capilla arrimado,
saliendo por aquel lado
de espaldas la cogerás. (*Vase.*)

D. GARCÍA. Bien dizes. Ven por aquí. (*Vase.*)   2440

JACINTA.   Lee baxo, que darás
mal exemplo.

LUCRECIA.   No me oyrás.
Toma y lee para ti.
          (*Da el papel a* JACINTA.)

JACINTA.   Esse es mejor parecer.

[ESCENA VI]

(Salen Tristán *y* García *por otra puerta, cogen de espaldas a las damas.)*

Tristán.	Bien el fin se consiguió.	2445
D. García.	Tú, si ves mejor que yo, procura, Tristán, leer.	
Jacinta.	*(Lee.:)* "Ya que mal crédito cobras de mis palabras sentidas, dime si serán creydas, pues nunca mienten, las obras.	2450

    Que si consiste el creerme,
señora, en ser tu marido,
y ha de dar el ser creydo
materia al favorecerme,
    por éste, Lucrecia mía,
que de mi mano te doy
firmado, digo que soy
ya *tu esposo don García."*

2455

D. García.   [*Ap. a* Tristán.]
    ¡Vive Dios, que es mi papel!

2460

Tristán.   Pues qué, ¿no lo vió en su casa?

D. García.   Por ventura lo repassa,
regalándose con él.

Tristán.   Comoquiera te está bien.

D. García.   Comoquiera soy dichoso.—

2465

Jacinta.   Él es breve y compendioso;
o bien siente o miente bien.

D. García.   (*A* Jacinta.) Bolved los ojos, señora,
cuyos rayos no resisto.
               (Tápanse Lucrecia *y* Jacinta.)

Jacinta.   [*Ap. a* Lucrecia.]
    Cúbrete, pues no te ha visto,
y desengáñate agora.

2470

LUCRECIA.   [*Ap. a* JACINTA.]
    Dissimula y no me nombres.
D. GARCÍA.   Corred los delgados velos
    a esse assombro de los cielos,
    a esse cielo de los hombres.   2475
    ¿Possible es que os llego a ver,
    homicida de mi vida?
    Mas, como soys mi homicida,
    en la iglesia huvo de ser.
    Si os obliga a retraer   2480
    mi muerte, no ayáys temor,
    que de las leyes de amor
    es tan grande el desconcierto,
    que dexan preso al que es muerto
    y libre al que es matador.   2485
    Ya espero que de mi pena
    estáys, mi, bien, condolida,
    si el estar arrepentida
    os traxo a la Madalena.
    Ved cómo el amor ordena   2490
    recompensa al mal que siento,
    pues si yo llevé el tormento
    de vuestra crueldad, señora,
    la gloria me llevo agora
    de vuestro arrepentimiento.   2495
    ¿No me habláys, dueño querido?
    ¿No os obliga el mal que passo?
    ¿Arrepentísos acaso
    de averos arrepentido?
    Que advirtáys, señora, os pido,   2500
    que otra vez me mataréys.
    Si porque en la iglesia os veys,
    prováys en mí los azeros,
    mirad que no ha de valeros
    si en ella el delito hazéys.   2505

JACINTA.   ¿Conocéysme?

D. GARCÍA.   ¡Y bien, por Dios!
Tanto, que desde aquel día
que os hablé en la Platería,
no me conozco por vos;
de suerte que, de los dos,   2510
vivo más en vos que en mí;
que tanto, desde que os vi,
en vos transformado estoy,
que ni conozco el que soy
ni me acuerdo del que fuy.   2515

JACINTA.   Bien se echa de ver que estáys
del que fuystes olvidado,
pues sin ver que soys casado,
nuevo amor solicitáys.

D. GARCÍA.   ¡Yo casado! ¿En esso days?   2520

JACINTA.   ¿Pues no?

D. GARCÍA.   ¡Qué vana porfía!
Fué, por Dios, invención mía,
por ser vuestro.

JACINTA.   O por no sello;
y si os buelven a hablar dello,
seréys casado en Turquía.   2525

D. GARCÍA.   Y buelvo a jurar, por Dios,
que, en este amoroso estado,
para todas soy casado
y soltero para vos.

JACINTA.   (A LUCRECIA.)
          ¿Ves tu desengaño?

LUCRECIA.   (Ap.)   ¡A, Cielos!   2530
¿Apenas una centella
siento de amor, y ya della
nacen vulcanes de zelos?

D. GARCÍA.   Aquella noche, señora,

7

	que en el balcón os hablé,	2535
	¿todo el caso no os conté?	
JACINTA.	¡A mí en balcón!	
LUCRECIA.	(*Ap.*) ¡A, traydora!	
JACINTA.	Advertid que os engañáys.	
	¿Vos me hablastes?	
D. GARCÍA.	¡Bien, por Dios!	
LUCRECIA.	(*Ap.*) ¿Hablásysle de noche vos,	2540
	y a mí consejos me days?	
D. GARCÍA.	Y el papel que recibistes,	
	¿negaréyslo?	
JACINTA.	¿Yo papel?	
LUCRECIA.	(*Ap.*) ¡Ved qué amiga tan fïel!	
D. GARCÍA.	Y sé yo que lo leystes.	2545
JACINTA.	Passar por donaire puede,	
	quando no daña, el mentir;	
	mas no se puede sufrir	
	quando esse límite excede.	
D. GARCÍA.	¿No os hablé en vuestro balcón,	2550
	Lucrecia, tres noches ha?	
JACINTA.	(*Ap.*) ¿Yo Lucrecia? Bueno va:	
	toro nuevo, otra invención.	
	A Lucrecia ha conocido,	
	y es muy cierto el adoralla,	2555
	pues finge, por no enojalla,	
	que por ella me ha tenido.—	
LUCRECIA.	(*Ap.*) Todo lo entiendo. ¡Ha, traydora!	
	Sin duda que le avisó	
	que la tapada fuí yo,	2560
	y quiere enmendallo agora	
	con fingir que fué el tenella,	
	por mí, la causa de hablalla.	

2560 Ed. 1634: *ví yo.*

TRISTÁN.	(*A* Don García.)
	Negar deve de importalla,
	por la que está junto della, 2565
	ser Lucrecia.
D. GARCÍA.	Assí lo entiendo,
	que, si por mí lo negara,
	encubriera ya la cara.
	Pero, no se conociendo,
	¿se hablaran las dos?
TRISTÁN.	Por puntos 2570
	suele en las iglesias verse
	que parlan, sin conocerse,
	los que aciertan a estar juntos.
D. GARCÍA.	Dizes bien.
TRISTÁN.	Fingiendo agora
	que se engañaron tus ojos, 2575
	lo enmendarás.
D. GARCÍA.	Los antojos
	de un ardiente amor, señora,
	me tienen tan deslumbrado,
	que por otra os he tenido.
	Perdonad, que yerro ha sido 2580
	de essa cortina causado.
	Que, como a la fantasía
	fácil engaña el desseo,
	qualquiera dama que veo
	se me figura la mía. 2585
JACINTA.	(*Ap.*) Entendíle la intención.
LUCRECIA.	(*Ap.*) Avisóle la taymada.
JACINTA.	Según esso, la adorada
	es Lucrecia.
D. GARCÍA.	El coraçón,
	desde el punto que la vi, 2590
	la hizo dueño de mi fe.

JACINTA.   (*A* LUCRECIA *ap.*)
                ¡Bueno es esto!
LUCRECIA.   [*Ap.*]   ¡Que ésta esté
                haziendo burla de mí!
                No me doy por entendida,
                por no hazer aquí un excesso.—   2595
JACINTA.   Pues yo pienso que, a estar de esso
                cierta, os fuera agradecida
                Lucrecia.
D. GARCÍA.   ¿Tratáys con ella?
JACINTA.   Trato, y es amiga mía;
                tanto, que me atrevería   2600
                a afirmar que en mí y en ella
                vive sólo un coraçón.
D. GARCÍA.   (*Ap.*) ¡Si eres tú, bien claro está!
                ¡Qué bien a entender me da
                su recato y su intención!—   2605
                Pues ya que mi dicha ordena
                tan buena ocasión, señora,
                pues soys ángel, sed agora
                mensagera de mi pena.
                Mi firmeza le dezid,   2610
                y perdonadme si os doy
                este oficio.
TRISTÁN.   (*Ap.*)   Oficio es oy
                de las moças en Madrid.
D. GARCÍA.   Persuadilda que a tan grande
                amor ingrata no sea.   2615
JACINTA.   Hazelde vos que lo crea,
                que yo la haré que se ablande.
D. GARCÍA.   ¿Por qué no creerá que muero,
                pues he visto su beldad?
JACINTA.   Porque, si os digo verdad,   2620
                no os tiene por verdadero.

D. García.   ¡Esta es verdad, vive Dios!
Jacinta.   Hazelde vos que lo crea.
¿Qué importa que verdad sea,
si el que la dize soys vos?   2625
Que la boca mentirosa
incurre en tan torpe mengua,
que, solaménte en su lengua,
es *la verdad sospechosa.*
D. García.   Señora...
Jacinta.   Basta: mirad   2630
que days nota.
D. García.   Yo obedezco.
Jacinta.   [*A* Lucrecia.]
¿Vas contenta? (*Vase.*)
Lucrecia.   Yo agradezco,
Jacinta, tu voluntad. (*Vase.*)

[ESCENA VII]

[Don García, Tristán.]

D. García.   ¿No ha estado aguda Lucrecia?
¡Con qué astucia dió a entender   2635
que le importaba no ser
Lucrecia!
Tristán.   A fe que no es necia.
D. García.   Sin duda que no quería
que la conociese aquella
que estava hablando con ella.   2640
Tristán.   Claro está que no podía
obligalla otra ocasión
a negar cosa tan clara,
porque a ti no te negara
que te habló por su balcón,   2645

            pues ella misma tocó
            los puntos de que tratastes
            quando por él os hablastes.

D. García.   En esso bien me mostró
            que de mí no se encubría.   2650

Tristán.   Y por esso dixo aquello:
            "Y si os buelven a hablar dello,
            seréys casado en Turquía."

            Y esta conjetura abona
            más claramente, el negar   2655
            que era Lucrecia y tratar
            luego en tercera persona
            de sus proprios pensamientos,
            diziéndote que sabía
            que Lucrecia pagaría   2660
            tus amorosos intentos,
            con que tú hiziesses, señor,
            que los llegasse a creer.

D. García.   ¡Ay, Tristán! ¿Qué puedo hazer
            para acreditar mi amor?   2665

Tristán.   ¿Tú quieres casarte?

D. García.   Sí.

Tristán.   Pues pídela.

D. García.   ¿Y si resiste?

Tristán.   Parece que no le oyste
            lo que dixo agora aquí:
            "Hazelde vos que lo crea,   2670
            que yo la haré que se ablande."
            ¿Qué indicio quieres más grande
            de que ser tuya dessea?

            Quien tus papeles recibe,
            quien te habla en sus ventanas,   2675
            muestras ha dado bien llanas
            de la afición con que vive.

El pensar que eres casado
la refrena solamente,
y queda esse inconveniente   2680
con casarte remediado;
pues es el mismo casarte,
siendo tan gran cavallero,
información de soltero.

Y, quando quiera obligarte   2685
a que des información,
por el temor con que va
de tus engaños, no está
Salamanca en el Japón.

D. García.   Sí está para quien dessea,   2690
que son ya siglos en mí
los instantes.

Tristán.   Pues aquí,
¿no avrá quien testigo sea?

D. García.   Puede ser.

Tristán.   Es fácil cosa.

D. García.   Al punto los buscaré.   2695

Tristán.   Uno, yo te lo daré.

D. García.   ¿Y quién es?

Tristán.   Don Juan de Sosa.

D. García.   ¿Quién? ¿Don Juan de Sosa?

Tristán.   Sí.

D. García.   Bien lo sabe.

Tristán.   Desde el día
que te habló en la Platería   2700
no le he visto, ni él a ti.

Y, aunque siempre he desseado
saber qué pesar te dió

2689 V. *Las Paredes oyen,* v. n. 107.

el papel que te escrivió,
nunca te lo he preguntado,   2705
    viendo que entonces, severo
negaste y descolorido;
mas agora, que he venido
tan a propósito, quiero
    pensar que puedo, señor,   2710
pues secretario me has hecho
del archivo de tu pecho,
y se passó aquel furor.

D. García.   Yo te lo quiero contar,
que, pues sé por experiencia   2715
tu secreto y tu prudencia,
bien te lo puedo fiar.
    A las siete de la tárde
me escrivió que me aguardava
en San Blas don Juan de Sosa   2720
para un caso de importancia.
Callé, por ser desafío,
que quiere, el que no lo calla,
que le estorven o le ayuden,
covardes acciones ambas.   2725
Llegué al aplazado sitio,
donde don Juan me aguardava
con su espada y con sus zelos,
que son armas de ventaja.
Su sentimiento propuso,   2730
satisfize a su demanda,
y, por quedar bien, al fin,
desnudamos las espadas.
Elegí mi medio al punto,

2734 *Medio*: distancia del adversario. "La regla general es que la punta de la espada contraria, sea larga o

y, haziéndole una ganancia   2735
por los grados del perfil,
le di una fuerte estocada.
Sagrado fué de su vida
un *Agnus Dei* que llevava,
que, topando en él la punta,   2740
hizo dos partes mi espada.
El sacó pies del gran golpe;
pero, con ardiente rabia,
vino, tirando una punta;
mas yo, por la parte flaca,   2745
cogí su espada, formando
un atajo. El presto saca
(como la respiración
tan corta línea le tapa,
por faltarle los dos tercios   2750
a mi poco fiel espada)

---

corta, no haya de pasar de la muñeca del diestro." (Luis
Pacheco de Narváez, pág. 59, *op. cit.* en la nota siguiente.)

2736 Quevedo, *Buscón,* VIII: "No me puede herir,
que le he ganado los grados del perfil." (Edición A. Castro, pág. 103.) Consiste en salirse de la línea de combate
y herir de afuera. "Ganar todos los grados del perfil"
consiste, así, en llegar a estar con el adversario "corres-
pondiendo el hombro derecho con el suyo izquierdo".
(Don Luis Pacheco de Narváez, *Modo fácil y nuevo para
examinarse los maestros en la destreza de las armas,*
1625, edición de Madrid, 1898, pág. 52; y en las páginas
55 y 57 la definición de esta treta.)

2742 *Sacar pies*: "Retirarse con buena orden, sin volver la espalda." (Terreros y Pando.)

2747 "Atajo es cuando el diestro pone su espada sobre la contraria... que no ha de ser en la punta, ni junto
a la guarnición, sino que, por lo menos, se toquen en el
medio, con que la tendrá sujeta." (Pacheco de Narváez,
págs. 61-62.)

la suya, corriendo filos,
y, como cerca me halla
(porque yo busqué el estrecho
por la falta de mis armas),   2755
a la cabeça, furioso,
me tiró una cuchillada.
Recibíla en el principio
de su formación, y baxa,
matándole el movimiento   2760
sobre la suya mi espada.
¡Aquí fué Troya! Saqué
un revés con tal pujança,
que la falta de mi azero
hizo allí muy poca falta;   2765
que, abriéndole en la cabeça
un palmo de cuchillada,
vino sin sentido al suelo,
y aun sospecho que sin alma.
Dexéle assí y con secreto   2770
me vine. Esto es lo que passa,
y de no verle estos días,
Tristán, es esta la causa.

TRISTÁN.   ¡Qué sucesso tan estraño!
¿Y si murió?

D. GARCÍA.   Cosa es clara,   2775
porque hasta los mismos sesos
esparzió por la campaña.

TRISTÁN.   ¡Pobre don Juan...! Mas ¿no es éste
que viene aquí?

[ESCENA VIII]

(*Salen* DON JUAN *y* DON BELTRÁN *por otra parte.* [DICHOS.])

D. GARCÍA.	¡Cosa estraña!	
TRISTÁN.	¿También a mí me la pegas?	2780
	¿Al secretario del alma?	
	(*Ap.*) ¡Por Dios, que se lo creí,	
	con conocelle las mañas!	
	Mas ¿a quién no engañarán	
	mentiras tan bien trobadas?	2785
D. GARCÍA.	Sin duda que le han curado	
	por ensalmo.	
TRISTÁN.	Cuchillada	
	que rompió los mismos sesos,	
	¿en tan breve tiempo sana?	
D. GARCÍA.	¿Es mucho? Ensalmo sé yo	2790
	con que un hombre, en Salamanca,	
	a quien cortaron a cercen	
	un braço con media espalda,	
	bolviéndosela a pegar,	
	en menos de una semana	2795
	quedó tan sano y tan bueno	
	como primero.	
TRISTÁN.	¡Ya escampa!	
D. GARCÍA.	Esto no me lo contaron;	
	yo lo vi mismo.	
TRISTÁN.	Esso basta.	
D. GARCÍA.	De la verdad, por la vida,	2800
	no quitaré una palabra.	
TRISTÁN.	(*Ap.*) ¡Que ninguno se conozca!—	

2785 La ed. 1634 pone: *también.*

Señor, mis servicios paga
con enseñarme esse salmo.

D. GARCÍA. Está en dicciones hebraycas, 2805
y, si no sabes la lengua,
no has de saber pronunciarlas.

TRISTÁN. Y tú, ¿sábesla?

D. GARCÍA. ¡Qué bueno!
Mejor que la castellana:
hablo diez lenguas.

TRISTÁN. (Ap.) Y todas 2810
para mentir no te bastan.
"Cuerpo de verdades lleno"
con razón el tuyo llaman,
pues ninguna sale dél
ni ay mentira que no salga. 2815

D. BELTRÁN. [A Don Juan.]
¿Qué dezís?

D. JUAN. Esto es verdad:
ni cavallero ni dama
tiene, si mal no me acuerdo,
de essos nombres Salamanca.

D. BELTRÁN. (Ap.) Sin duda que fué invención 2820
de García, cosa es clara.
Disimular me conviene.—
Gozés por edades largas,
con una rica encomienda,
de la cruz de Calatrava. 2825

2804 Nota Barry la semejanza con el pasaje del *Quijote*, I, x:

"Y no quiero otra cosa, en pago de mis muchos y buenos servicios, sino que vuestra merced me dé la receta de ese extremado licor..." Pág. 235, edición Francisco Rodríguez Marín, de "La Lectura".)

D. JUAN.　　Creed que siempre he de ser
　　　　　más vuestro quanto más valga.
　　　　　Y perdonadme, que aora,
　　　　　por andar dando las gracias
　　　　　a essos señores, no os voy　　　2830
　　　　　sirviendo hasta vuestra casa. (Vase.)

[ESCENA IX]

[DON BELTRÁN, DON GARCÍA, TRISTÁN.]

D. BELTRÁN.　(Ap.) ¡Válgame Dios! ¿Es possible
　　　　　que a mí no me perdonaran
　　　　　las costumbres deste moço?
　　　　　¿Que aun a mí, en mis proprias canas, 2835
　　　　　me mintiesse, al mismo tiempo
　　　　　que riñéndoselo estava?
　　　　　¿Y que le creyesse yo,
　　　　　en cosa tan de importancia,
　　　　　tan presto, aviendo ya oydo　　　2840
　　　　　de sus engaños la fama?
　　　　　Mas ¿quién creyera que a mí
　　　　　me mintiera, quando estava
　　　　　reprehendiéndole esso mismo?
　　　　　Y ¿qué juez se recelara　　　2845
　　　　　que el mismo ladrón le robe,
　　　　　de cuyo castigo trata?
TRISTÁN.　　[A GARCÍA.]
　　　　　¿Determinaste a llegar?
D. GARCÍA.　Sí, Tristán.
TRISTÁN.　　　　　　Pues Dios te valga.
D. GARCÍA.　Padre...
D. BELTRÁN.　　　¡No me llames padre,　　2850

2831 V. v. n. 958.

vil! Enemigo me llama,
que no tiene sangre mía
quien no me parece en nada.
Quítate de ante mis ojos,
que, por Dios, si no mirara...   2855

TRISTÁN.   (*A* DON GARCÍA.)
El mar está por el cielo:
mejor ocasión aguarda.

D. BELTRÁN. ¡Cielos! ¿Qué castigo es éste?
¿Es possible que a quien ama
la verdad como yo, un hijo   2860
de condición tan contraria
le diéssedes? ¿Es possible
que quien tanto su honor guarda
como yo, engendrasse un hijo
de inclinaciones tan baxas,   2865
y a Gabriel, que honor y vida
dava a mi sangre y mis canas,
llevássedes tan en flor?
Cosas son que, a no mirarlas
como christiano...

D. GARCÍA.   (*Ap.*)   ¿Qué es esto?   2870
TRISTÁN.   [*Ap. a su amo.*]
¡Quítate de aquí! ¿Qué aguardas?

D. BELTRÁN. Déxanos solos, Tristán.
Pero buelve, no te vayas;
por ventura, la vergüença
de que sepas tú su infamia   2875
podrá en él lo que no pudo
el respeto de mis canas.
Y, quando ni ésta vergüença
le obligue a enmendar sus faltas,
servírále, por lo menos,   2880
de castigo el publicallas.—

Di, liviano, ¿qué fin llevas?
Loco, di, ¿qué gusto sacas
de mentir tan sin recato?
Y, quando con todos vayas   2885
tras tu inclinación, ¿conmigo
siquiera no te enfrenaras?
¿Con qué intento el matrimonio
fingiste de Salamanca,
para quitarles también   2890
el crédito a mis palabras?
¿Con qué cara hablaré yo
a los que dixe que estavas
con doña Sancha de Herrera
desposado? ¿Con qué cara,   2895
quando, sabiendo que fué
fingida esta doña Sancha,
por cómplices del embuste,
infamen mis nobles canas?
¿Qué medio tomaré yo   2900
que saque bien esta mancha,
pues, a mejor negociar,
si de mí quiero quitarla,
he de ponerla en mi hijo,
y, diziendo que la causa   2905
fuyste tú, he de ser yo mismo
pregonero de tu infamia?
Si algún cuydado amoroso
te obligó a que me engañaras,
¿qué enemigo te oprimía?   2910
¿qué puñal te amenaçava,
sino un padre, padre al fin?
Que este nombre solo basta
para saber de qué modo
le enternecieran tus ansias.   2915

¡Un viejo que fué mancebo,
y sabe bien la pujança
con que en pechos juveniles
prenden amorosas llamas!

D. García.   Pues si lo sabes, y entonces   2920
para escusarme bastara,
para que mi error perdones
agora, padre, me valga.
Parecerme que sería
respetar poco tus canas   2925
no obedecerte, pudiendo,
me obligó a que te engañara.
Error fué, no fué delito;
no fué culpa, fué ignorancia;
la causa, amor; tú, mi padre,   2930
¡pues tú dizes que esto basta!
Y ya que el daño supiste,
escucha la hermosa causa,
porque el mismo dañador
el daño te satisfaga.   2935
Doña Lucrecia, la hija
de don Juan de Luna, es alma
desta vida, es principal
y heredera de su casa;
y, para hazerme dichoso   2940
con su hermosa mano, falta
sólo que tú lo consientas
y declares que la fama
de ser yo casado tuvo
esse principio, y es falsa.   2945

D. Beltrán.   No, no. ¡Jesús! ¡Calla! ¿En otra
avías de meterme? Basta.
Ya, si dizes que esta es luz,
he de pensar que me engañas.

D. GARCÍA.	No, señor; lo que a las obras

D. GARCÍA. No, señor; lo que a las obras   2950
se remite, es verdad clara,
y Tristán, de quien te fías,
es testigo de mis ansias.—
Dilo, Tristán.

TRISTÁN.   Sí, señor:
lo que dize es lo que passa.   2955

D. BELTRÁN. ¿No te corres desto? Di:
¿no te avergüença que ayas
menester que tu criado
acredite lo que hablas?
Aora bien: yo quiero hablar   2960
a don Juan, y el Cielo haga
que te dé a Lucrecia, que eres
tal, que es ella la engañada.
Mas primero he de informarme
en esto de Salamanca,   2965
que ya temo que, en dezirme
que me engañaste, me engañas.
Que, aunque la verdad sabía
antes que a hablarte llegara,
la has hecho ya sospechosa   2970
tú con sólo confessarla. (*Vase.*)

D. GARCÍA. ¡Bien se ha hecho!

TRISTÁN.   ¡Y cómo bien!
Que yo pensé que oy provavas
en tí aquel psalmo hebreo
que braços cortados sana.   (*Vanse.*)   2975

8

[*Sala con vistas a un jardín, en casa de* Don Juan de Luna.]

[ESCENA X]

(*Salen* Don Juan, *viejo, y* Don Sancho.)

Don Juan.

Parece que la noche ha refrescado.

Don Sancho.

Señor don Juan de Luna, para el río
éste es fresco, en mi edad, demasïado.

Don Juan.

Mejor será que en esse jardín mío
se nos ponga la mesa, y que gozemos   2980
la cena con sazón, templado el frío.

Don Sancho.

Discreto parecer. Noche tendremos
que dar a Mançanares más templada,
que ofenden la salud estos estremos.

Don Juan. (*Adentro.*)

Gozad de vuestra hermosa combidada   2985
por esta noche en el jardín, Lucrecia.

Don Sancho.

Veáysla, quiera Dios, bien empleada,
que es un ángel.

Don Juan.

　　　　　Demás de que no es necia,
y ser, qual veys, don Sancho, tan hermosa,
menos que la virtud la vida precia.   2990

_____

Escena X: La noche del mismo día.

[ESCENA XI]

(Sale un CRIADO. [DICHOS.])

CRIADO. [*A* DON SANCHO.]

Preguntando por vos, don Juan de Sosa
a la puerta llegó y pide licencia.

DON SANCHO.

¿A tal hora?

DON JUAN.

Será ocasión forçosa.

DON SANCHO.

Entre el señor don Juan.

(Vase el CRIADO.)

[ESCENA XII]

(Sale DON JUAN, *galán, con un papel.* [DON JUAN DE LUNA,
DON SANCHO.])

DON JUAN, *galán.* [*A* DON SANCHO.]

     A essa presencia,
sin el papel que veys, nunca llegara;   2995
  mas, ya con él, faltava la paciencia,
  que no quiso el amor que dilatara
la nueva un punto, si alcanzar la gloria
consiste en esso de mi prenda cara.
  Ya el ábito salió: si en la memoria   3000
la palabra tenéys que me avéys dado,
colmaréys, con cumplirla, mi vitoria.

DON SANCHO.

Mi fe, señor don Juan, avéys premiado

con no aver esta nueva tan dichosa
por un momento sólo dilatado.   3005
    A darle voy a mi Jacinta hermosa,
y perdonad que, por estar desnuda,
no la mando salir. (*Vase.*)

Don Juan, *viejo.*

    Por cierta cosa
tuve siempre el vencer, que el Cielo ayuda
la verdad más oculta, y premïada   3010
dilación pudo aver, pero no duda.

[ESCENA XIII]

(*Salen* Don García, Don Beltrán *y* Tristán *por otra parte.* [Don Juan de Luna, Don Juan de Sosa.])

Don Beltrán.

Esta no es ocasión acomodada
de hablarle, que ay visita, y una cosa
tan grave a solas ha de ser tratada.

Don García.

Antes nos servirá don Juan de Sosa   3015
en lo de Salamanca por testigo.

Don Beltrán.

¡Que lo ayáis menester! ¡Qué infame cosa!
    En tanto que a don Juan de Luna digo
nuestra intención, podréys entretenello.

Don Juan, *viejo.*

¡Amigo don Beltrán!

Don Beltrán.

                    ¡Don Juan amigo!   3020

Don Juan, *viejo.*
¿A tales horas tal excesso?

Don Beltrán.
                    En ello
conoceréys que estoy enamorado.

Don Juan, *viejo.*
Dichosa la que pudo merecello.

Don Beltrán.
Perdón me avéys de dar; que aver hallado
la puerta abierta y la amistad que os tengo,   3025
para entrar sin licencia me la han dado.

Don Juan, *viejo.*
Cumplimientos dexad, quando prevengo
el pecho a la ccasión desta venida.

Don Beltrán.
Quiero deziros, pues, a lo que vengo.

Don García. [*A* Don Juan de Sosa.]
Pudo, señor don Juan, ser oprimida   3030
de algún pecho de invidia emponçoñado
verdad tan clara, pero no vencida.
Podéys, por Dios, creer que me ha alegrado
vuestra vitoria.

Don Juan, *galán.*
                De quien soys lo creo.

Don García.
Del ábito gozéys encomendado,   3035
como vos merecéys y yo desseo.

Don Juan, *viejo.*
Es en esso Lucrecia tan dichosa,
que pienso que es soñado el bien que veo.

Con perdón del señor don Juan de Sosa
oyd una palabra, don García.   3040
Que a Lucrecia queréys por vuestra esposa
me ha dicho don Beltrán.

DON GARCÍA.

El alma mía,
mi dicha, honor y vida está en su mano.

DON JUAN, viejo.

Yo, desde aquí, por ella os doy la mía;
                                   (Danse las manos.)
que como yo sé en esso lo que gano,   3045
lo sabe ella también, según la he oydo
hablar de vos.

DON GARCÍA.

Por bien tan soberano
los pies, señor don Juan de Luna, os pido.

[ESCENA XIV]

(Salen DON SANCHO, JACINTA y LUCRECIA.—[DICHOS.])

LUCRECIA.   Al fin, tras tantos contrastes,
                 tu dulce esperança logras.   3050
JACINTA.   Con que tú logres la tuya
                 seré del todo dichosa.
D. JUAN, viej.   Ella sale con Jacinta
                 agena de tanta gloria,
                 más de calor descompuesta   3055
                 que adereçada de boda.
                 Dexad que albricias le pida
                 de una nueva tan dichosa.
D. BELTRÁN.   [Ap. a DON GARCÍA.]
                 Acá está don Sancho. ¡Mira

	en qué vengo a verme agora!	3060
D. García.	Yerros causados de amor,	
	quien es cuerdo los perdona.—	
Lucrecia.	[*A Don Juan, viejo.*]	
	¿No es casado en Salamanca?	
D. Juan, *viej.*	Fué invención suya engañosa,	
	procurando que su padre	3065
	no le casasse con otra.	
Lucrecia.	Siendo assí, mi voluntad	
	es la tuya, y soy dichosa.—	
D. Sancho.	Llegad, illustres mancebos,	
	a vuestras alegres novias,	3070
	que dichosas se confiessan	
	y os aguardan amorosas.	
D. García.	Agora de mis verdades	
	darán provança las obras.	

(*Vanse* Don García y Don Juan *a* Jacinta.)

D. Juan, *gal.*	¿Adónde vays, don García?	3075
	Veys allí a Lucrecia hermosa.	
D. García.	¿Cómo Lucrecia?	
D. Beltrán.	¿Qué es esto?	
D. García.	(*A* Jacinta.)	
	Vos sois mi dueño, señora.	
D. Beltrán.	¿Otra tenemos?	
D. García.	Si el nombre	
	erré, no erré la persona.	3080
	Vos soys a quien yo he pedido,	
	y vos la que el alma adora.	
Lucrecia.	Y este papel engañoso	
	(*Saca un papel.*)	
	que es de vuestra mano propria,	
	¿lo que dezís no desdize?	3085
D. Beltrán.	¡Que en tal afrenta me pongas!	

D. Juan, *gal.* Dadme, Jacinta, la mano,
            y daréys fin a estas cosas.
D. Sancho. Dale la mano a don Juan.
Jacinta.   [*A Don Juan, galán.*]
            Vuestra soy.
D. García.   Perdí mi gloria.   3090
D. Beltrán. ¡Vive Dios, si no recibes
            a Lucrecia por esposa,
            que te he de quitar la vida!
D. Juan, *viej.* La mano os he dado agora
            por Lucrecia, y me la distes;   3095
            si vuestra inconstancia loca
            os ha mudado tan presto,
            yo lavaré mi deshonra
            con sangre de vuestras venas.
Tristán.   Tú tienes la culpa toda;   3100
            que si al principio dixeras
            la verdad, ésta es la hora
            que de Jacinta gozavas.
            Ya no ay remedio, perdona,
            y da la mano a Lucrecia,   3105
            que también es buena moça.
D. García. La mano doy, pues es fuerça.
Tristán.   Y aquí verás quán dañosa
            es la mentira; y verá
            el Senado que, en la boca   3110
            del que mentir acostumbra,
            es *La Verdad sospechosa.*

FIN DE LA COMEDIA

3112 La ed. Barry, habiendo en la pág. 176 pasado
del núm. 2895 al 2910, saca un falso cómputo final de
3122 versos.

LAS PAREDES OYEN ^(*)

FIGURAS DE LA COMEDIA

Don Mendo, *galán.*
Don Juan, *galán.*
El Duque, *galán.*
El Conde, *galán.*
Leonardo, *criado.*
Beltrán, *gracioso.*
Doña Ana, *dama viuda.*
Doña Lucrecia, *dama.*

Celia, *criada.*
Un Escudero [Ortiz].
[Marcelo], |
[Fabio], | [*criados del* Duque.]
[Un escudero.]
[Una mujer.]
[Arrieros.]

[La escena, en Madrid, en Alcalá de Henares y a un
cuarto de legua de Alcalá.]

ACTO PRIMERO

[Sala en casa de Doña Ana, *en Madrid.]*

[ESCENA I]

(Don Juan, *vestido llanamente, y* Beltrán.)

JUAN.   Tiéneme desesperado,
           Beltrán, la desigualdad,

(*) Según el texto de Madrid, 1628. También se han
aprovechado la edición de Hartzenbusch (Bibl. Riv., XX)
y, sobre todo, la de miss C. B. Bourland, New York, 1914,
en la que noto los siguientes puntos:

EDIC. 1628.	EDIC. 1914.
Verso 699 : al passo *del* alvedrío.	a. p. *que el* a.
— 985 : Según es impertinente.	s. e. *de* i.
— 1059 : ...¡ Que *ay* juicio.	...¡ Q. *haya* j.
— 1741 : ¡*Ho* traidor...!	¡*Ah* t...!
— 1829 : ...*sus* amores.	...*tus* a.
— 2272 : ni *falta* más peligrosa.	n. *salsa* m. p.

Esta edición—la más correcta que conocemos—trae al
fin una tabla de las variantes introducidas por mala lec-

> si no de mi calidad,
> de mis partes y mi estado.
> La hermosura de doña Ana,
> el cuerpo airoso y gentil,
> bella emulación de abril,

---

tura en las ediciones modernas, que es inútil reproducir
aquí. También he consultado la reseña que sobre el texto
de miss Bourland ha hecho el profesor F. O. Reed en
Modern Language Notes, Baltimore, 1916, XXXI, 95-104
y 169-178, de que he sacado varias notas.

1-4 V. v. n. 169: *"No ay pobre con* calidad"; y *La Verdad sospechosa*, v. n. 297 y sigts:

> "En el vicio y la virtud
> y el *estado* hay diferencia."

Tirso, *Palabras y plumas*, I, 6:

> "Y supuesto que es mudable
> el *estado* y la riqueza,
> siendo el valor y nobleza
> accidente inseparable,
> pues en ella me señalo,
> estimad la *calidad*
> en más que la cantidad;
> porque, en cuanto ésta, os *igualo*."

Sobre *desigualdad* por "inferioridad", v. *La Verdad sospechosa*, v. n. 41.—*Calidad, partes* y *estado*—alcurnia, condiciones propias y posición social—se asocian en la literatura de la época como una fórmula fija para definir a las
personas. Así en Lope, *El Peregrino*, 1604, fols. 23 v.-24:
"Fuera de que en Mireno concurrían amables *partes*: porque era de lindo talle, de alto ingenio, de liberal condición,
de noble sangre... si amor no me engaña, de su *calidad* no
tenía igual en el mundo; y propúsele los [sujetos = perso-
nas] que me parecieron que lo eran [iguales] en propor-
ción de su *estado*, ya que no de su persona."—V. en el
mismo Alarcón, *No hay mal que por bien no venga*, I, 14:
"Dime las partes... desa casa"; *Examen de maridos*, I, 4:
"Sólo valen... proprias y adquiridas partes"; *La Prueba
de las promesas*, I, 1: "partes de rico, noble y galán".

dulce embidia de Dïana,
 mira tú, ¿cómo podrán
dar esperança al deseo
de un hombre tan pobre y feo   10
y de mal talle, Beltrán?

BELTRÁN. A un Narciso cortesano
un humano serafín
resistió un siglo, y al fin
la halló en braços de un enano. 15
Y, si las historias creo

16 V. para una versión de este mismo cuento, *La Se-
rrana de la Vera*, de Luis Vélez de Guevara, v. n. 1139-1158
y nota, pág. 160, edic. de M. C. de Menéndez Pidal y R. Menéndez Pidal, Madrid, 1916. V. reseña de esta edición por
J. Gómez Ocerín, en *Rev. de Filol. Esp.*, IV, pág. 413.—
Ovidio, *Ars Amandi*, I: "Inde fit, ut, quae se timuit com-
mittere honesto, Vilis in amplexus inferiores eat.—Alfonso de la Torre, *Visión delectable* (1440?), Rivad.,
XXXVI, 351 *a*: "Los hombres encenagados y envueltos en
estas concupiscencias sensibles parescen a una fija de un
rey muy fermosa; la cual heredaba el reino de su padre,
et adulteró con un esclavo muy negro et disforme, por lo
cual perdió el hereditable patrimonio."—Se encuentra una
versión de este cuento en el *Orlando furioso*.

17 Compárese este discurso sobre las aberraciones de
las mujeres, y la situación general de este diálogo, con el
de Sempronio y Calisto en el acto I de *La Celestina*:

"SEMPRONIO.—Dixe que tú, que tienes más coraçón que
Nembrot ni Alexandre, desesperas de alcançar una muger;
muchas de las quales, en grandes estados constituydas, se
sometieron a los pechos e resollos de viles azemileros; e
otras, a brutos animales. ¿No has leydo de Pasife con el
toro? de Minerva con el can?

"CALISTO.—No lo creo; hablillas son.

"SEMPRONIO.—Lo de tu abuela con el ximio, hablilla fué:
testigo es el cuchillo de tu abuelo.

"CALISTO.—¡Maldito sea este necio, e qué porradas dize!

"SEMPRONIO.—¿Escozióte? Lee los ystoriales: estudia los

y exemplos de autores graves
(pues, aunque sirviente, sabes
que a ratos escrivo y leo),   20
   me dizen que es ciego Amor,
y sin consejo se inclina;
que la emperatriz Faustina
quiso un feo esgrimidor;
   que mil injustos deseos,   25
puestos locamente en ella,
cumplió Hipia, noble y bella,
de hombres humildes y feos.

---

filósofos: mira los poetas: llenos están los libros de sus
viles e malos exemplos."
   Edic. fac-similar de A. M. Huntington, fol. 4 v.
   También Ovid., *loc. cit.*, habla de las aberraciones de las
mujeres, y cuenta la de Pasife con el toro.
   19-20 V. n. al v. n. 364 de *La Verdad sospechosa.*
   23-27 Hipia.—Juvenal, *sát.* VI, v. 82-113.—Reed opina
que Alarcón trastrocó sus citas, pues es Faustina, esposa
de Marco Aurelio, la que cumplió "mil injustos deseos",
en tanto que de Hipia sólo cuenta Juvenal que quiso
a un feo esgrimidor", Sergiolo, por quien abandonó a
su marido. Sin embargo, también Faustina amó a un
gladiador. En la *Comedia Selvagia,* de Villegas (donde,
por cierto, "Flesinardo" confunde a "Isabela" con "Ro-
siana", en un enredo que anuncia ya la comedia del
género de *La Verdad sospechosa*), se lee: "Otro remedio
cuenta para el amor el magnífico caballero Pero Mexía en
su *Silva,* con el cual sanó *Faustina,* mujer de Marco Aurelio; *la cual, como excesivamente amase a un esgrimidor* de los que hacían los regocijos públicos, y viéndose
en peligro de muerte, por esta causa los médicos manda-
ron matar y quemar al esgrimidor, y los polvos bebidos
en vino por Faustina, fué libre de su amor inhonesto..."
(Libros Raros o Curiosos, págs. 18-19.)—Y, en efecto,
Pero Mexía, en el libro III, cap. XIII de su *Silva* (1556),
pág. 420, cuenta el caso, con la variante de que Faustina
bebe la sangre del gladiador muerto.

JUAN.   Beltrán, ¿para qué refieres
               comparaciones tan vanas?   30
               ¿No ves que eran más livianas
               que bellas essas mugeres,
               y que en doña Ana es locura
               esperar igual error,
               en quien excede el honor   35
               al milagro de hermosura?

BELTRÁN.   ¿No eres don Juan de Mendoça?
               Pues doña Ana ¿qué perdiera
               quando la mano te diera?

JUAN.   Tan alta fortuna goza,   40
               que nos haze desiguales
               la humilde en que yo me veo.

BELTRÁN.   Que diste en el punto, creo,
               de que proceden tus males.

               Si Fortuna en tu humildad   45
               con un soplo te ayudara,
               a fe que te aprovechara
               la misma desigualdad.

               Fortuna acompaña al dios
               que amorosas flechas tira;   50
               que en un templo los de Egira
               adoravan a los dos.

               Sin riqueza ni hermosura
               pudieras lograr tu intento:
               siglos de merecimiento   55
               trueco a puntos de ventura.

JUAN.   Esso mismo me acobarda.
               Soy desdichado, Beltrán.

BELTRÁN.   Trocar las manos podrán
               fortuna y amor: aguarda.   60

JUAN.   Si a don Mendo haze favor,
               ¿qué esperança he de tener?

BELTRÁN.   En ésse echarás de ver
que es todo fortuna amor.
    A competencia lo quieren   65
doña Ana y doña Teodora;
doña Lucrecia lo adora;
todas, al fin, por él mueren:
jamás el desdén gustó.

JUAN.   Es bello y rico y mancebo.   70

BELTRÁN.   ¡Quánto mejor era Febo!
Y Daphnes lo desdeñó.
    Y, quando no conociera
otro en perfección igual,
aquesto de dezir mal   75
¿es defecto como quiera?

JUAN.   Y ¿no es esso murmurar?

BELTRÁN.   Esto es dezir lo que siento.

JUAN.   (Lo que siente el pensamiento
no siempre se ha de explicar.)   80

BELTRÁN.   Dezir...

JUAN.   (Que calles te digo;
y ten por cosa segura
que tiene, aquel que murmura,
en su lengua su enemigo.)

BELTRÁN.   Entre tus desconfianças,   85
en su casa entrar te veo:
sin duda que el gran deseo
engaña tus esperanças.
    Veste en desierto lugar
y no cessas de dar vozes,   90
y, aunque tu muerte conoces,
nadas en medio del mar.

JUAN.   Lo que en gran tiempo no ha hecho,
haze amor en solo un día,
venciendo al fin la porfía.   95

BELTRÁN. Que te sucede sospecho
    lo que al tahur, que, en perdiendo,
    solamente con dezir
    "¡que no sepa yo gruñir!",
    está sin cessar gruñendo.   100
     Tú dizes que desesperas;
    y, entre el mismo no esperar,
    nunca dexas de intentar:
    ¿qué más hazes quando esperas?
     ¿Tú piensas que el esperar   105
    es alguna confección
    venida allá del Japón?
    El esperar es pensar
    que puede al fin suceder
    aquello que se desea: 110
    y, quien haze porque sea,
    bien piensa que puede ser.

JUAN. (*Saca una carta.*) Pues si con esta invención
    en su desdén no ay mudança,
    aunque viva mi esperança   115
    morirá mi pretensión.

96-100 V. Tirso, *Palabras y plumas*, I, 3:

   "¡Eso es!: "No juréis, Angulo."
   "—Juro a Dios no juro..."

Id., I, 5:

   "—¿Que tanto ha de durar el juramento?
   —Un siglo.
     —¿Qué tahur, qué amante jura
   de no jugar o amar, sin volver luego
   éste a su pretensión, aquél al juego?"

107 V. *La Verdad sospechosa*, v. n. 2689.
113-116 V. n. 1285.

BELTRÁN.   El mercader marinero,
            con la codicia avarienta,
            cada viaje que intenta
            dize que será el postrero.   120
                Assí tú, quando imagino
            que desengañado estás,
            ya con nuevo intento vas
            en la mitad del camino.
                Mas dime: ¿qué te ha obligado   125
            a traçar esta invención
            para mostrar tu afición,
            pudiendo, con un criado
            de su casa, negociar
            lo que tú vienes a hazer?   130
JUAN.   No he de arresgarme a ofender
            a quien pretendo obligar;
                que, como es tan delicada
            la honra, suele perderse
            solamente con saberse   135
            que ha sido solicitada.
                Y assí, del murmurador
            pretendo que esté segura

---

120   V. *El Semejante a sí mismo,* III, 6 :

        "Cada vez reñís así,
        y os vuelvo a ver juntos luego.
        Allá en la corte, don Diego,
        cierto galán conocí
        que con su dama rifaba
        y juraba de no vella
        cada mañana, y con ella
        cada noche se acostaba."

131   "La forma *arresgar,* tan común en Alarcón, es hoy
vulgar en algunas partes de América." (R. J. CUERVO.

mi desdicha o mi ventura,
su flaqueza o su valor;   140
    que aun a ti mismo callado
estos intentos huviera,
si en ti, Beltrán, no tuviera
más amigo que criado.

BELTRÁN.   ¿Toda esta casa, don Juan,   145
    a una muger aposenta?

JUAN.   Seis mil ducados de renta,
    ¿qué alcáçar no ocuparán?

BELTRÁN.   Celia es ésta.

Dicc. de Constr. y Régimen de la Lengua Cast., 1886, I,
653 b).—He aquí varios ejemplos del mismo Alarcón:

"La vida quiero *arresgar*."

(*La Industria y la suerte*, II, 12.)

"No quiero *arresgarme* tanto."

(*Id.*, III, 5.)

"*Arresgó* por quien amáis."

(*Todo es ventura*, I, 5. La ed. Rivadeneyra pone, equivocadamente, "arriesgó".)

"Vaya, ¿qué puedo *arresgar?*"

(*Id.*, I, 8.)

"No habrán *arresgado* el bien."

(*El Desdichado en fingir*, I, 1.)

"¿Para qué es bueno *arresgar?*"

(*La Cueva de Salamanca*, I, 1.)

"No os *arresguéis* a un gran daño."

(*Los Favores del mundo*, II, 5. La ed. Rivadeneyra pone, equivocadamente, "arriesguéis".)—Cfr. v. n. 2027 y 2444.

[ESCENA II]

(Sale CELIA.—[DON JUAN y BELTRÁN.])

CELIA.   ¿Qué mandáis,
          señor don Juan?

JUAN.   Celia mía: 150
          besar las manos querría,
          si licencia me alcançáis,
          a mi señora doña Ana.

CELIA.   Que será impossible entiendo;
          porque se está previniendo   155
          para partirse mañana
          a una novena a Alcalá.

JUAN.   ¿De la corte se desvía

---

150 V. n. 1521 y sigts: a este pasaje se refiere.

157 V. n. 434-435 y 502-505.

Sobre San Diego, patrón o "dueño soberano" de Alcalá,
v. LOPE DE VEGA, *San Diego de Alcalá* (Rivad., LII, 515-533). TIRSO, *En Madrid y en una casa* (Rivad., V, 531 *c*),
III, 3:

          "A San Diego de Alcalá
          la llevó su devoción."

Id., 9: "... salió desta corte ... a cumplir palabras dadas
a Dios y a San Diego."

Sobre el voto de la novena, v. LOPE DE VEGA, *Al pasar
del arroyo* (Rivad., XXIV, 388 *b*), I, 4:
"En mi enfermedad hice una promesa a San Diego; y
así, me parto a Alcalá."—En la pág. 392 y sigts., escenas
en el camino de Madrid a Alcalá. En la pág. 392 *b*:

          "Alcalá de noche ha sido
          siempre lugar temeroso."

Cfr. las escenas en San Diego de Alcalá en ALARCÓN,
Todo es ventura (Rivad., XX), III, 4 y sigts.

quando el celebrado día
de San Juan tan cerca está?   160

CELIA.   Para los tristes no ay fiesta.

JUAN.   Pues, Celia, verla me importa:
la visita será corta;
sólo le quiero dar ésta
que le ha venido en un pliego,   165
y me dize quien la embía
que sólo de mí confía
el darla.

CELIA.   Yo salgo luego.   (*Vase.*)

[ESCENA III]

[DON JUAN y BELTRÁN.]

BELTRÁN.   No ay pobre con calidad:
si un villano rico fueras,   170
a fe que nunca tuvieras
en verla dificultad.

JUAN.   Si ella está tan de camino,
que es justa la escusa creo.

BELTRÁN. *Lo que con los ojos veo...*   175

JUAN.   Malicioso desatino.

159-160 "El celebrado día de San Juan." V. n. 415-417, 425, 714-739 y 919.

Los disturbios hicieron prohibir la fiesta del Manzanares en 1642.

168 Celia sale de escena; pero oye aún lo que hablan Don Juan y Beltrán. V. n. 1521 y sigts.

169 V. n. 1-4.

175 "Lo que con los ojos miro, con el dedo lo adivino", Correas, *Vocabulario,* edic. 1906, pág. 200 *b. Quijote,* II, cap. LXII: "Lo que con los ojos veo con el dedo lo señalo."

Pero Mexía, *Silva,* III, XIII, pág. 421 (1556):

"Y al cabo concuerdan todos en un remedio [para el

BELTRÁN.   ¿Quánto va que no la ves?

JUAN.   De no alcançar no se ofende
              quien lo difícil emprende.
              Mas doña Ana es muy cortés.   180

BELTRÁN.   Y agora ¿qué hemos de hazer?
              Que ella se parte a Alcalá.

JUAN.   En tanto que ausente está,
              aguardar y padecer.

BELTRÁN.   Bueno fuera acompañalla.   185

JUAN.   Si como quien soy pudiera,
              forçoso el hazerlo fuera,
              si assí entendiesse obligalla;
                 mas ni me ayuda el poder,
              ni ella lo agradecería,
              por la nota que daría
              si se llegasse a entender.

BELTRÁN.   Ella sale.

JUAN.   Di, Beltrán,
              que la Aurora bella y clara.

[ESCENA IV]

(*Salen* DOÑA ANA, *viuda, y* CELIA, *y habla a* CELIA *aparte.—*
[DON JUAN *y* BELTRÁN.])

ANA.   [*Ap. a* CELIA.]
              ¡Ay, Celia, y qué mala cara   195
              y mal talle de don Juan!

JUAN.   Aunque me dixo, señora,
              Celia vuestra ocupación

---

amor], *que es adevinar con el dedo,* que la mejor medicina
y remedio es que... le den y junten con la mujer por él
amada."

    177 Cfr. n. 1712.
    195-196 Cfr. n. 2665-6.

—con que fuera más razón
el no estorvaros agora—,   200
(Dale la carta.)
la importancia contenida
en esta carta que os doy,
me disculpa.

ANA.   Nunca estoy,
señor don Juan, impedida
para recebir merced   205
de tan noble cavallero.

JUAN.   Vuestro soy: respuesta espero.
Si sois servida, leed.

ANA.   Ser descortés me mandáis.

JUAN.   Leed, que importa una vida   210
que cerca está de perdida
si remedio no le dais.

ANA.   Si está su defensa en mí,
la pena y temor dexad.

JUAN.   El caso es grave: mandad   215
que estemos solos aquí,
que tenemos que tratar,
y el secreto es importante.

ANA.   Dexadnos solos.

BELTRÁN. [Ap.]   Amante
fué el inventor de engañar.   220

(Vanse BELTRÁN y CELIA.)

[ESCENA V]

[DOÑA ANA y DON JUAN.]

JUAN.   Pues contigo solo estoy,
por que mi recato veas,
(Va a leer DOÑA ANA, y detiénela.)

     oye, señora: no leas;
que la carta viva soy.

     Que me atreva no te altere,   225
pues estoy solo contigo,
y un agravio sin testigo
al punto que nace muere.

     Desde que la vez primera
vi la luz de tu arrebol,   230
dos vezes la ha dado el sol
a los signos de su esfera.

     Como al que el rayo tocó
de Júpiter vengativo,
por gran tiempo muerto, vivo   235
en un instante quedó;

     como aquel que la cabeça
de la Gorgona mirava,
por un peñasco trocava
la humana naturaleza;   240

     tal en viéndote me veo,
tan absorto y admirado,
que en admirarme ocupado,
no doy lugar al deseo;

     que essos divinos despojos   245
tanta gloria me mostraron,
que al punto me arrebataron
toda el alma por los ojos.

ANA.   Tened, don Juan: esso ¿pára
todo en que amor me tenéis?   250

---

229 y sigts. V. *La Verdad sospechosa*, v. n. 388.
   233 Virgilio, *Eneida*, VII, 761-782, Hipólito. Fué Es-
culapio quien le volvió a la vida. Reed supone que Alarcón
quiere decir que el mismo Júpiter le volvió a la vida, y,
así, achaca a Alarcón un error que no ha cometido.

Juan.   No, porque ya lo sabéis,
          y en vano el tiempo gastara.

Ana.   ¿En que os morís?

Juan.   No, señora,
          pues ni en morir parará;
          que en el alma vivirá   255
          el amor que os tengo agora.

Ana.   ¿Pára en pedirme que os quiera?

Juan.   Ni llega, señora, aí,
          que no ay méritos en mí
          para que a tal me atreviera.   260

Ana.   Pues dezid lo que queréis.

Juan.   Quiero... Sólo sé que os quiero,
          y que remedio no espero,
          viendo lo que merecéis.

          Como el misero doliente,   265
          en el lecho fatigado,
          a qualquier parte inclinado
          los mismos dolores siente,
              y, por huír del tormento,
          que en cada lado es mayor,   270
          busca alivio a su dolor
          en el mismo movimiento:
              assí yo con mi cuidado
          vengo a vos, dueño querido,
          no de esperança induzido,   275
          sino de dolor forçado,
              por no morir con callallo,
          no por sanar con dezillo;
          que es impossible el sufrillo
          como lo es el remediallo.   280
              Y assí, no os ha de ofender
          que me atreva a declarar,

pues va junto el confessar
que no os puedo merecer.

ANA.   ¿Queréis más?

JUAN.   ¿Qué más que a vos?   285
Si entender queréis mi estado,
en que os quiero está cifrado.

ANA.   Pues, señor don Juan, adiós.

JUAN.   Tened: ¿no me respondéis?
¿Desta suerte me dexáis?   290

ANA.   ¿No avéis dicho que me amáis?

JUAN.   Yo lo he dicho, y vos lo veis.

ANA.   ¿No dezís que vuestro intento
no es pedirme que yo os quiera,
porque atrevimiento fuera?   295

JUAN.   Assí lo he dicho y lo siento.

ANA.   ¿No dezís que no tenéis
esperança de ablandarme?

JUAN.   Yo lo he dicho.

ANA.   ¿Y que igualarme
en méritos no podéis,   300
vuestra lengua no afirmó?

JUAN.   Yo lo he dicho de esse modo.

ANA.   Pues, si vos lo dezís todo,
¿qué queréis que os diga yo?   (Vase.)

[ESCENA VI]

JUAN.   ¡Ho! venga la muerte, acabe   305
con vida tan desdichada,
que sólo puede su espada
remediar pena tan grave.

¿Que delito cometí
en quererte, ingrata fiera?   310
¡Quiera Dios!... Pero no quiera;
que te quiero más que a mí.

[ESCENA VII]

(*Salen* CELIA *y* BELTRÁN.—[DON JUAN.])

CELIA.   ¡Ha, desdichado don Juan!
BELTRÁN.   [*A* CELIA.] Ayúdale.
CELIA.   ¡A Dios pluguiera
que mi voluntad valiera!   (*Vase.*)   315

[ESCENA VIII]

BELTRÁN.   Pues, ¿qué tenemos?
JUAN.   Beltrán:
La verdad huyo; a la esperança pido
engaños que alimenten mi deseo;
eternos contra mí impossibles veo;
nado en un golfo, ni de un leño assido.   320
Con el buelo de amor más atrevido,
no subo un passo; y aunque más peleo,
al fin vencido soy de lo que creo,
vencedor sólo en lo que soy vencido.

---

309 Es verso idéntico al del célebre monólogo de 'Se-
gismundo' en Calderón, *La Vida es sueño,* I, 2, v. n. 105,
pág. 44, ed. de M. Krenkel, Léipzig, 1881.
    V. n. 1514.
310 Hartzenbusch puntúa:

"en quererte, ingrata, fiera",

dando a "fiera" el valor de "orgullosa".

Assí, desesperado vitorioso,   325
niego al deseo engaños, y a la gloria
más vivo anhela, si su muerte sigo.
¡Triste, donde es el no esperar forçoso,
donde el desesperar es la vitoria,
donde el vencer da fuerça al enemigo!   330

BELTRÁN.   ¡Triste, donde es forçoso andar contigo,
donde hallar qué comer es gran vitoria,
donde el cenar es siempre de memoria!

(*Vanse.*)

[*Sala en casa del* CONDE, *en Madrid.*]

[ESCENA IX]

(*Salen el* CONDE, DON MENDO *y* ORTIZ, *escudero.*)

MENDO.   A mi señora Lucrecia
dad, Ortiz, esse papel.
                           (*Dale un papel a* ORTIZ.)   335
ORTIZ.   Guárdeos Dios.   (*Vase.*)
MENDO.   Cosa cruel,
Conde, es una muger necia.
CONDE.   ¿Cómo?
MENDO.   Con zelos y amor
sale Lucrecia de sí.
CONDE.   ¿Con causa, don Mendo?
MENDO.   Sí;   340
mas tanto el yerro es mayor.

---

327 Así en la princeps. Miss Bourland pone "anhelo".
Reed advierte que el sujeto de este verbo es el "deseo",
el "deseo" que "anhela" la gloria más vivamente cuanto
más se procura matarlo.

       Si por doña Ana estoy ciego,
       ella ¿qué ha de remediar
       con reñir y con zelar,
       sino añadir fuerça al fuego?   345

CONDE.   [*Ap.*] ¡Quieran, Lucrecia, los cielos
       que te mude esta mudança,
       y a mi perdida esperança
       abran la puerta tus zelos!—
       Y vos ¿qué le respondéis?   350

MENDO.   Nunca el negar hizo daño.

CONDE.   Mejor fuera el desengaño,
       si en otra parte queréis.

MENDO.   Dañarme, Conde, podría;
       que su amor causó en mi pecho   355
       terrible incendio, y sospecho
       que ay centellas todavía.

       Y quien antiguo cuidado
       arraigado al alma tiene,
       ha de obligar el que viene   360
       sin despedir el passado;

       que mil vezes se agradó
       de la novedad Cupido,
       y buelve a buscar, rendido,
       lo que arrogante dexó.   365

CONDE.   Avariento sois de amor.

MENDO.   Más el de doña Ana estimo.

CONDE.   Y ella ¿os quiere?

MENDO.   Pienso, primo,
       que merezco su favor.

CONDE.   ¿Qué ay de Teodora?

MENDO.   Quería   370
       que yo fuesse su marido,
       como si huvieran nacido
       mis abuelos en Turquía.

CONDE.   Sin ser loca, yo no creo
            que ninguna muger pida   375
            la esclavitud de una vida
            por la muerte de un deseo.
MENDO.   Pues ya, después que mi amor
            sacó pies amedrentado,
            en ella crece el cuidado,   380
            y, al passo dél, mi rigor.
               Ya, sin essa condición,
            estimara mis favores.
CONDE.   Dichoso sois en amores.
MENDO.   En el signo de León,   385
               Marte y Venus concurrieron
            de mi nacimiento el día;
            y, si ay cierta astrología,
            ellos amable me hizieron.
               Mas, adiós, primo, que es tarde   390
            y a doña Ana quiero ver;
            que oy su sol se va a poner
            en Alcalá.
CONDE.   Dios os guarde.

                                    (*Vase el* CONDE.)

                    [ESCENA X]

            (*Sale* LEONARDO.—[DON MENDO.])

LEONARDO.   El coche a la puerta está;
            que ya se parte imagino.   395
MENDO.   Tenme el coche de camino
            a la puerta de Alcalá.

---

396 V. *Todo es ventura*, I, 16:

     "Pónganme el coche al momento
     de camino."

Parta al punto el repostero
y encárgales, por mi vida,
que esté a punto la comida   400
en la venta de Vivero.
    Haz cómo doña Ana vea
en mi prevención mi amor.
LEONARDO. Toda tu gente, señor,
su vida en tu gusto emplea.   405

(*Vanse.*)

[*Sala en casa de* DOÑA ANA, *en Madrid.*]

[ESCENA XI]

(*Salen* DOÑA ANA, *de camino, y* CELIA.)

ANA.   ¿De qué vas triste? ¿De qué
lo van todas mis donzellas?
Habla, dime sus querellas.
CELIA.   Señora, verdad diré,
pues obligación me pones: 410
tienen tus criadas todas
en la esperança sus bodas
y en la corte sus passiones;
    y, como de aquí a seis días
es la noche de San Juan   415
—quando los amantes dan
indicios de sus porfías—,
    sienten el ver que essa noche
en la corte no han de estar.

---

401 V. v. n. 1902 y sigts. "Vivero" por "Viveros",
como licencia poética, para rimar con "repostero".
415-417 V. n. 159-160, 425, 714-739 y 919.

ANA.	Pues pierdan, Celia, el pesar;
	que, por la posta, en un coche
	conmigo entonces vendrán.
	Porque se alegre mi gente
	gozaré secretamente
	de la noche de San Juan,
	y bolveréme a la aurora
	a proseguir mis novenas.
CELIA.	Alivie el cielo tus penas.
	Mas ¿no era mejor, señora,
	dilatar esta partida?
ANA.	Si sabes que estoy muriendo
	por dar la mano a don Mendo,
	y no ay cosa que lo impida
	sino el cumplir las novenas
	que a San Diego prometí,
	¿dilataré, estando assí,
	el remedio de mis penas?
	Con esta traça que doy
	ninguna queda quexosa.
CELIA.	Hágate el cielo dichosa.
	A dalles la nueva voy.
ANA.	Encárgales, por mi vida,
	el secreto.
CELIA.	Assí lo haré.—
	Don Mendo viene.
ANA.	Tendré
	buen agüero en la partida.

420

425

430

435

440

(*Vase.*)

445

---

421   En un mismo coche, y no separadas de sus sirvien-
tes como en v. núms. 1149-50.
425   V. n. 159-160, 415-417, 714-739 y 919.
434-435   V. n. 157 y 502-505.

[ESCENA XII]

(*Sale* DON MENDO, *de color.*—[DOÑA ANA.])

MENDO.   Los campos de Alcalá, bella señora,
desdeñan los favores del verano,
y de la fértil Flora
no solicitan ya la diestra mano,
después que primaveras les reparte   450
la dichosa esperança de mirarte.
  Los arroyos—que esperan ser espejos
en quien de essos dos soles celestiales
se miren los reflexos—
transforman sus corrientes en cristales;   455
y el agua, en cambio de bessallos, grata
haze a tus blancos pies puente de plata.

---

451 V. n. 476. Sobre el simbolismo de los colores consúltese: H. A. Kenyon, *Color symbolism in early Spanish
ballads,* Romanic Review, 1915, VI, 327-340, que trata de
los romances moriscos y artísticos; la reseña del profesor
F. O. Reed, que vengo aprovechando en estas notas (página 176, particularmente), y S. G. Morley, *Color symbolism in Tirso de Molina,* Rom. Rev., 1917, VIII, 77-81. El
morado representa amor; el verde, esperanza (como en
estos versos de Alarcón); el azul, celos; el amarillo, des-
esperanza; el leonado, congoja; naranjado, constancia
(aunque Lope, en *La Hermosa aborrecida,* II, 7, dice
que es color de satisfacción); el negro, pena y luto; el
pardo, aflicciones; el blanco, castidad; el rojo, unas veces
alegría y otras crueldad. Añádanse a las notas de S. G.
Morley los trozos de *Los Cigarrales* (como el de la pág. 92,
ed. V. Said Armesto, Madrid, 1913):
"Salió vestida Irene de tabí de plata y verdemar; Nar-
cisa, de encarnado, etc..."
Quevedo, en sus *Premáticas* (Rivad., XXIII, 429) se
queja:
"Quítanse las significaciones de las colores, que son
muy enfadosas."

Al nuevo sol que nace agradecidas,
en verdes ramos las cantoras aves,
a coros divididas,   460
dando a los vientos músicas süaves,
para explicar la gloria deste día
articular intentan su armonía.

Parte ¡o feliz! que el zéfiro süave
lisongear pretende codicioso   465
la rodadora nave,
de nueva Europa Júpiter dichoso,
por quien, en Indias buelto Mançanares,
España de sus glorias haze a Enares.

Parte ¡o primero móvil adorado!,   470
de quien siguiendo voy el movimiento,

---

469 Así como el galeón de Indias trae su riqueza a
España, el coche de Manzanares (Madrid) lleva su gloria
(doña Ana) a Henares (Alcalá).

Indias, Cfr. 865.

470 El *primum mobile* es la esfera que lleva consigo
las estrellas en su movimiento. V. *La Prueba de las promesas*, II, 1:

> "Blanca es el centro, ¡ay de mí!
> en quien vivo y por quien muero,
> y el cielo móvil primero
> que me lleva tras de sí."

V. *La Verdad sospechosa*, v. n. 781 y sigts.

V. Cervantes, *La Ilustre fregona* (Rivad., I, 190 b):

> "Cielo impíreo, donde amor
> tiene su estancia segura;
> primer moble que arrebata
> tras sí todas las venturas."

He aquí el orden de los once cielos en el sistema ptole-
maico: Luna, Mercurio, Venus, Sol, Marte, Júpiter, Saturno,
Firmamento, Cristalino, Primer móvil y Empíreo. V. sobre esto la nota de Américo Castro en su edición de *La
viña de Nabot*, de Rojas Zorrilla. (*Teatro Antiguo Español*, II, Madrid, 1917, pág. 260, n. 281.)

si bien arrebatado
—pues tras mi centro corro—, no violento;
que yo, si lo merezco, gloria mía,
voy a ser el luzero de esse día.   475

ANA.   Los campos de esperança matizados,
la consonancia dulce de las aves,
los cristales quaxados,
las lisonjas del zéfiro süaves,
en nada estimo; y estimara sólo   480
llevar por mi luzero al mismo Apolo.

Mas, quando el coraçón lo solicita,
forçosa acción de amor correspondiente,
ni el honor acredita,
ni el estado que tengo lo consiente.   485

MENDO. Es imán de mis ojos tu presencia.

ANA.   Justo efecto de amor es la obediencia.

MENDO. ¿Sin ti quieres dexarme?

ANA.   Yo, don Mendo,
parto sin ti.

MENDO.   ¿Qué mucho? Vas elada
quando yo quedo ardiendo.   490

ANA.   ¡Segura fuesse yo, como abrasada!

MENDO. No me apartes de ti si desconfías.

ANA.   Vive el recato entre las ansias mías.

MENDO. ¿No me llamas tu dueño?

ANA.   Y de mis ojos,
cierta lengua del alma, lo has sabido.   495

MENDO. ¿De quién temes enojos,
quando te adoro yo, de ti querido?

ANA.   Hasta el "sí" conjugal temo mudança;
que no ay dentro del mar cierta bonança.

En tanto que a mis deudos comunico   500
la dichosa elección de vuestra mano,
y devota suplico

10

en Alcalá a su dueño soberano
que lleve a fin feliz mi intento nuevo,
y las novenas pago que le devo,   505
    puede mudarse vuestro amor ardiente
y quedar mi opinión en opiniones
del vulgo maldiciente,
que a lo peor aplica las acciones.

MENDO. ¿Mudarme yo?

ANA.   Temores son de amante.   510

MENDO. Más parecen cautelas de inconstante.
    Si ya nuevo cuidado te fatiga,
el fingido recato ¿qué pretende?
Declárate, enemiga:
no el desengaño, la mudança ofende.   515
Vete segura: ocuparé entre tanto
el alma en zelos y la vida en llanto.

ANA.   Ofendes mi lealtad si desconfías;
mas por que de tu error te desengañes,
pon secretas espías,   520
prueva mi fe, como mi honor no dañes.

MENDO. Confiança tendré, mas no paciencia,
contra el rigor, señora, de tu ausencia.

[ESCENA XIII]

(*Sale* CELIA.—[DICHOS.])

CELIA.   Doña Lucrecia, señora,
viene a visitarte.

ANA.   ¿Quién?   525

502-505 V. n. 157 y 434-435.

507 Andar mi reputación en lenguas. V. *La verdad sospechosa,* v. n. 933-4, y *La industria y la suerte,* I, 4: "La opinión quieres perder."

CELIA.   Tu prima.
MENDO.   [*Ap.*]   A impedir mi bien
la trae mi desdicha agora.—

[ESCENA XIV]

(*Sale* LUCRECIA, *con manto, y* ORTIZ.—[DICHOS.])

LUCRECIA.   No quise, prima, dexar
de verte en esta partida.
ANA.   Ni yo, Lucrecia querida,   o
me partiera sin passar
por tu casa, porque el ver
al passar tu rostro hermoso,
fuesse presagio dichoso
del viage que he de hazer.   535
LUCRECIA. [*Ap. de* D.ª ANA.]
Niégame agora, traidor,
las verdades que estoy viendo.—
ANA.   ¿Qué le dizes a don Mendo?
LUCRECIA. Del vestido de color
le pregunto la ocasión;   540
porque de irte a acompañar
lo indicia el tiempo y lugar,
y fuera galante acción.
ANA.   Tan alto merecimiento
con mi humildad no conviene,   545
y, más que lisonja, tiene
malicia esse pensamiento.
Mas, si conmigo partiera,
de parecer, prima, soy,

539   Vestido de color para el viaje. Como en *Los fa-*
vores del mundo, I, 1, aparecen 'Don García' y su criado.

que, pues yo de negro voy,   550
de color no se vistiera.

CELIA.   Ya bien te puedes partir,
que los coches han venido.

ANA.   Que no me olvides te pido.

LUCRECIA. Por puntos te he de escrivir.   555

ANA.   Adiós, don Mendo.

MENDO.   Señora,
en el coche os dexaré.

ANA.   Si alguno en la calle os ve,
sospechará lo que aora
ha sospechado mi prima.   560
Quedaos y salid después.   (*Vase.*)

MENDO.   [*Ap. de* LUCRECIA.]
Yo obedezco, y vuestros pies
sigue el alma que os estima.—

          [*Vanse* DOÑA ANA *y* CELIA.]

[ESCENA XV]

[DOÑA LUCRECIA, DON MENDO *y* ORTIZ.]

(*Saca un papel* LUCRECIA *y muéstraselo a* DON MENDO.)

LUCRECIA.   ¿Conoces este papel?

MENDO.   Yo, Lucrecia, lo escriví.   565

LUCRECIA. Junta lo que has hecho aquí
con lo que dizes en él.
Traidor, fingido, embustero,
engañoso, ¿a ti te dan
apellido de Guzmán   570
y nombre de cavallero?
¿Qué sangre puede tener
quien tiene pecho traidor?

---

555   V. *Por puntos: La verdad sospechosa,* v. n. 394.

      ¿Es hazaña de valor
      engañar una muger?   575
MENDO.   Oye, señora...
LUCRECIA.   No muevas
      essos fementidos labios;
      que intentas nuevos agravios
      con satisfaciones nuevas.
MENDO.   Pues ¿qué quieres? ¿condenarme,   580
      sin oír satisfación,
      por sola una presunción?
LUCRECIA. ¿Qué disculpa puedes darme?
        ¿Presunción llamas, traidor,
      esta tan clara provança   585
      de mi agravio y tu mudança?
MENDO.   En lo que fundas mi error
        fundo la satisfación.
      ¿No te dixo de mi parte
      tu escudero, que de hablarte   590
      deseava una ocasión,
        donde el descargo sabrías
      del rezelo que te abrasa?
      Tuve aviso de tu casa
      que a ver tu prima salías,   595
        y vine a esperarte aquí,
      y adelantéme en llegar,
      por no dar que sospechar
      viéndome venir tras ti.
        ¡Mira por qué me condenas!   600
LUCRECIA. ¿De modo que te disculpas
      multiplicando tus culpas
      y acrecentando mis penas?
        Causa doña Ana mi daño,
      ¡y con hallarte con ella   605
      das remedio a mi querella!

MENDO.   Por que fuesse el desengaño
            en su presencia más fuerte.
LUCRECIA.   ¿Qué desengaño me diste?
MENDO.   Como tu pena encubriste,   610
            no quise, hablando, ofenderte;
            mas ten cierta confiança,
            para assegurar tus zelos,
            que en el orden de los cielos,
            antes que en mí, avrá mudança.   615
            Tuyo soy.
LUCRECIA.   Las obras creo.
MENDO.   Presto, con la voluntad
            de tu padre, su verdad
            te mostrará mi deseo.

                [ESCENA XVI]

        (*Sale el* CONDE.—[DICHOS.])

CONDE.   [*Ap.*] ¿Dónde ay con zelos cordura?—   620
            ¡Lucrecia hermosa! ¡Don Mendo!
MENDO.   Conde, que venís entiendo
            traído de mi ventura;
            que Lucrecia ha de saber
            de vos lo que hablamos oy   625
            de su amor.
CONDE.   Testigo soy.
MENDO.   Eso a solas ha de ser;
            que pensará que os obligo
            con mi presencia a abonarme.   (*Vase.*)

───────────────────────────────

613   Asegurar: *Quijote*, I, 27: "segura... de la traición."

[ESCENA XVII]

[*El* Conde, Doña Lucrecia, Ortiz.]

LUCRECIA. [*Ap.*] ¡Tú dexas, para informarme   630
            en tu favor, buen testigo!—
CONDE.   ¿He de dezir la verdad?
LUCRECIA. Para esso quedas aquí.
CONDE.   Pues escúchala de mí,
            pagues o no mi lealtad.   635
            Y por prevenir el daño,
            si acaso no me creyeres,
            ten secreto lo que oyeres
            y averigua si es engaño.
            Que, pues me dixo don Mendo   640
            que cuente lo que oy passó,
            cumpliendo lo que él mandó,
            nadie dirá que le ofendo;
            que, aunque su intento aya sido
            que use contigo de engaño,   645
            no devo para mi daño
            darme yo por entendido.—
            Dando oy para ti un papel
            don Mendo a Ortiz, tu criado,
            desdeñoso y enfadado,   650
            me dixo: "¡Cosa crüel,
            Conde, es una muger necia!
            Después que a doña Ana di
            en servir, sale de sí
            de amor y zelos Lucrecia."   655
            Yo le dixe: "¿No es mejor

---

651 y sigts. V. I, 9; v. n. 336-337 y sigts.

no engañarla?" Y respondió:
"Mil vezes lo que dexó
bolvió a desear amor,
y este caso, previniendo,   660
nada pierdo en conservalla."

LUCRECIA. ¿Qué enredos inventas? Calla.
¿Tal pudo dezir don Mendo?
¿Que tu afición agradezca
quieres assí disponer?   665
¿Piensas que te he de querer
aunque a don Mendo aborrezca?

CONDE.   Oye.

LUCRECIA.   No me digas nada.

CONDE.   Averígualo advertida,
y dame pena ofendida,   670
o premio desengañada.
Y, si por amarte yo,
duda en mi verdad has puesto,
sírvate de indicio aquesto,
ya que de provança no: 675
él va tras ella a Alcalá,
y no es éste mal testigo
del desengaño que digo.
Despacha tú quien allá,
con cuidado y sin passión   680
secretamente lo siga;
y, si mi verdad te obliga,
premia un leal coraçón;
que será culpable error
que prefiera (en) tu cuidado   685
un engaño averiguado
a un averiguado amor.

LUCRECIA.   La verdad diziendo estás,
que, si negándola estoy,

no es que crédito no doy,   690
sino que pena me das.
    ¡Ha, falso! ¡Ha, mal cavallero!
¡Plega a Dios que, en igual grado
amante y desengañado,
prueves el mal de que muero!   695
    ¡Pluguiera a Dios, Conde mío,
pudiera, en esta ocasión,
mudarse la inclinación
al passo del alvedrío!
    Mas vive cierto, señor,   700
que, si me has dicho verdad,
te dará mi voluntad
lo que te niega mi amor.

CONDE.   Yo lo estimo de essa suerte.
LUCRECIA.   Tanto más me deverás   705
quanto me forçare más,
Conde, por corresponderte.   (*Vanse.*)

[*La calle Mayor de Madrid, y en ella la casa de
              Doña Ana.*]

              [ESCENA XVIII]

       (*Salen* Don Juan *y* Beltrán, *de noche.*)

BELTRÁN.   El duque Urbino esta noche
            bien pudiera perdonarte.
JUAN.   ¿Qué puede querer?
BELTRÁN.   Llevarte   710
            querrá consigo en el coche,

---

708 Seis días después de la escena anterior, según se
deduce de los versos núms. 414 y sigts. Doña Ana está de
vuelta en Madrid a pasar la noche de San Juan, según
lo ofreció a Celia. (C. B. Bourland, pág. 171.)

amarrado a un duro vanco,
sin poderte entretener,
quando el dezir y el hazer
anda por las calles franco.   715

Que, noche de San Juan, hallo,
si un peón sabe embestir,
que suele solo rendir
más que treinta de a cavallo;
que ay muger que, en el engaño   720
que en esta noche previene,
librados los gustos tiene
de los deseos de un año.

Quál llega al poblado coche
de angélica gerarquía,   725
y, siendo page de día,
passa por marqués de noche;
quál sin pensar se acomoda
con la viuda disfraçada,
que, entre galas de casada,   730
hurta los gustos de boda;
quál encuentra y desbarata
una sarta de donzellas,
de quien son las manos bellas
engasaduras de plata;   735
quál se llega a las que van
brindando los retoçones,
y trueca a mil refregones
un pellizco que le dan.

---

712 Probable reminiscencia del conocido romance de
Góngora:

"*Amarrado al duro banco
de una galera turquesca.*"

(Año 1583.)

714-739 V. n. 159-160, 415-417, 425 y 919.
739 y sigts. V. *La verdad sospechosa*, 293 y sigts.

JUAN.   Quien los encuentros enseña,   740
             encuentre con un azar.

BELTRÁN.   ¿Es el azar encontrar
             una muger pedigüeña?
             Si ésse temes en tu vida
             en poblado vivirás,   745
             porque ¿dónde encontrarás
             hombre o muger que no pida?
             Quando dar gritos oyeres,
             diziendo: "¡Lienzo!" a un lencero,
             te dize: "Dame dinero,   750
             si de mi lienço quisieres."
             El mercader claramente
             diziendo está sin hablar:
             "Dame dinero, y llevar
             podrás lo que te contente."   755
             Todos, según imagino,
             piden, que para vivir,
             es fuerça dar y pedir
             cada uno por su camino:

740-1 V. Lope, *La Noche toledana,* III, 7:

            "En el revés del *azar*
            está el *encuentro* pintado."

Tirso, *Palabras y plumas,* II, 9:

            "—¿El primer *encuentro*
            es Laura? Llámole *azar*."

Azar es el punto que pierde en los dados, y *encuentro*
es la jugada que gana: concurrencia de dos puntos iguales.
743 V. *La verdad sospechosa,* I, 3; *El semejante a
sí mismo,* I, i, v. n. 16-17; *Todo es ventura,* I, 14, v. n.
19-48; *Mudarse por mejorarse,* I, ii, v. n. 4-15. Compárese con Lope, *La noche toledana,* I, 6: "El médico está
mirando", etc.

con la cruz el sacristán,   760
con los responsos el cura,
el monstro con su figura,
con su cuerpo el ganapán;
el alguazil con la vara,
con la pluma el escrivano;   765
el oficial con la mano
y la muger con la cara.
    Y ésta, que a todos excede,
con más razón pedirá,
pues que más que todos da,   770
y menos que todos puede.
    Y el miserable que el dar
tuviere por pesadumbre
—ellas piden por costumbre—
hago costumbre en negar;   775
que tanto, desde que nacen,
el pedir usado está,
que pienso que piden ya
sin saber lo que se hazen:
y assí, es fácil el negar,   780
porque se puede inferir
que quien pide sin sentir,
no sentirá no alcançar.

JUAN.   Aunque más razones halles,
no has de quitarme el temor,   785
Beltrán; que el azar mayor
es el no tener que dalles:
    y más si la que he adorado
se dignasse de mis dones.

BELTRÁN. ¿Aún te duran tus passiones?   790
JUAN.   Ardo más, más desdeñado.
BELTRÁN.   Este es el Duque.

[ESCENA XIX]

(*Sale el* DUQUE *y* DON MENDO, *de noche.*—[DON JUAN
   y BELTRÁN.])

DUQUE.	¡Don Juan!	
JUAN.	Deme los pies vueselencia.	
DUQUE.	Ya acusava vuestra ausencia.	
JUAN.	Si don Mendo de Guzmán,	795

      Apolo de discreción,
acompañándoos está,
señor, ¿qué falta os hará
el que en su comparación
luz de una estrella no embía?   800

MENDO.   Merced recibo de vos.
DUQUE.   La amistad de entre los dos
    estraña la cortesía.
JUAN.   Dezidme, pues, el intento
    con que hemos sido llamados.   805
MENDO.   Aquí tenéis dos criados.
DUQUE.   Dadme, pues, oído atento.
     Hombre que a la corte viene
rezién heredado y moço
—pájaro que estrena el viento,   810
nave que se arroja al golfo—,
que a los ojos de su Rey
y a los populares ojos,
ni deve mostrar flaqueza
ni puede esconder el rostro,   815
ha de regir sus acciones
por los expertos pilotos,
obligados, por parientes;
por amigos, cuidadosos.
Con esta ley os obligo,   820

y con esta fe os escojo
capitanes veteranos
deste soldado visoño.
Acompañadme los dos,
advertidme lo que ignoro,   825
dezidme el nombre, el estado
y la calidad de todos;
y en lo de las cortesías
principal cuidado os pongo,
advirtiendo que con nadie   830
pretendo pecar de corto;
que el señor siempre es señor,
como Apolo siempre Apolo,
aunque en lugares indignos
entren sus rayos hermosos.   835
Lengua honrosa, noble pecho,
fácil gorra, humano rostro,
son voluntarios Argeles
de la libertad de todos.
Enseñadme los baxíos   840
en que tocar suelen otros;
quál es Acates fiel,
y quál Senón cauteloso;
ya del dulce lisongero
el veneno en vaso de oro,   845

---

838   Tirso, *En Madrid y en una casa* (Rivad., V. 547 *c*
y 548 *a*), II, XII:

> "—¿No es bellísima?
>   —Y no necia.
> —Es Argel del alma mía."

842   Acates es el amigo de Eneas.
843   Sinón, el falso amigo de los troyanos, que intro-
dujo en Troya el caballo de madera.

ya la canora sirena,
porque me defienda sordo.
Al fin, los dos sois el hilo;
la corte, el cretense monstro;
por mí corren mis aciertos,   850
y mis yerros por vosotros.

MENDO.   Yo confiesso que es muy débil
para esse cielo este polo;
mas suplirán mis deseos
el defecto de mis hombros.   855

JUAN.   De no ser un Quinto Fabio
oy con mi suerte me enojo;
mas el que soy, obediente
a serviros me dispongo.

DUQUE.   Con esso, en nombre de Dios,   860
seguro a la mar me arrojo.
Vamos andando las calles
mientras pregunto y me informo.

MENDO.   Esta es la calle Mayor.

JUAN.   Las Indias de nuestro polo.   865

---

847 Alusión al episodio de la *Odisea*, XII, que el secretario Gonzalo Pérez puso en aquellos pobres versos de su *Ulixea*:

"Al passar por allí, ternaste afuera,
y atapa las orejas a los tuyos
con cera, porque no puedan oírlas", etc.

848-9 Alude al laberinto de Creta, en que vivía "el cretense monstruo", el Minotauro—hijo de Pasife y el toro—y al hilo de Ariadna, mediante el cual pudo Teseo escapar del Laberinto de Creta.

856 *Quintus Fabius Cunctator* † 206 A. C., célebre por su prudencia.

865 Cfr. n. 469: Indias. Lo más rico de la ciudad.

Mendo.	Si ay Indias de empobrecer,
	yo también Indias la nombro.
Juan.	Es gran tercera de gustos.
Mendo.	Y gran cosaria de tontos.
Juan.	Aquí compran las mugeres. 870
Mendo.	Y nos venden a nosotros.
Duque.	¿Quién habita en estas casas?
Juan.	Don Lope de Lara, un moço
	muy rico, pero más noble.
Mendo.	Y menos noble que tonto. 875

(*Hazen dentro ruido de bailar.*)

Duque.	Tened, que bailan allí.
Juan.	San Juan es fiesta de todos.
Mendo.	Yo asseguro que van éstos
	más alegres que devotos.
Duque.	¿Quién vive aquí?
Juan.	Una viuda, 880
	muy honrada y de buen rostro.
Mendo.	Casta es la que no es rogada :
	alegres tiene los ojos.
Beltrán.	(*Ap.*) ¡Bien aya tan buena lengua!

---

868   Cfr. v. n. 1431.

869   V. *La Verdad sospechosa*, I, 3, v. n. 237 y sigts.—
V. también *Ganar amigos*, I, 3. Compárese con Tirso,
Quien calla otorga, I, 7 :

"Hay en la calle Mayor", etc.,

y *La celosa de sí misma*, I, 1 :

"—Brava calle.
        —Es la Mayor,
donde se vende el amor
a varas, medida y peso."

882   Ovid., *Amores*, I, VIII, 43 : *Costa est quam nemo
rogavit*.

	¡Vive Christo, que es un Momo!	885
JUAN.	Esta imagen puso aquí	
	un estrangero devoto.	
MENDO.	Y, entre aquestas devociones,	
	no le sabe mal un logro.	
JUAN.	Un regidor desta villa	890
	hizo este hospital famoso.	
MENDO.	Y primero hizo los pobres.	
BELTRÁN.	(Ap.) Por Dios, que lo arrasa todo.	

[ESCENA XX]

(*Salen* DOÑA ANA *y* CELIA *a la ventana.*—[DICHOS *en la calle.*])

ANA.	Oy haze, Celia, tres años	
	que mi esposo, con sus días,	895
	dió fin a mis alegrías	
	y dió principio a mis daños.	
CELIA.	Si de Alcalá te veniste	
	sólo a gozar la alegría	
	que Madrid haze este día,	900
	¿por qué quieres estar triste?	
	¿Por qué con esta memoria	
	tan injusta guerra mueves	
	contra el contento que deves	
	a noche de tanta gloria?	905

885 Uno de los hijos de la Noche, dios ridículo. V. *La Prueba de las promesas,* III (Rivad., XX, 414 c).

892 Hace notar Barry que Alarcón quiere representar en "don Mendo" al Conde de Villamediana, de quien es este epigrama contra un regidor. Este regidor bien pudiera ser Juan Fernández (véase el prólogo, y L. F.-G., pág. 268) o Juan de Robles (C. B. Bourland, pág. 175).

11

Ya que tu luto funesto
te impide el salir de casa
oy, que los límites passa
el estado más honesto,
 y estar quieres encerrada   910
noche que el uso permite
que los altares visite
la donzella más honrada;
 con quien passa, tus enojos
divierte, señora mía,   9·5
y niegue esta zelosía
lo que conceden tus ojos.
 Las doze han dado, señora:
oye del segundo esposo
el pronóstico dichoso.   920

ANA. A don Mendo el alma adora.
MENDO. Don Juan de Mendoça...
ANA.   ¡Ay, Dios!
 ¿Don Mendo no es el que habló?
CELIA. Sí, mas a don Juan nombró.
ANA. ¿Quién duda que de los dos 925
es don Mendo de Guzmán
pronóstico para mí?
Pues antes su voz oí
que no el nombre de don Juan.
CELIA. Mas ¿qué fuera que ordenara 930
el destino soberano
que tu blanca hermosa mano
para don Juan se guardara?
ANA. Calla, necia. ¿Quién pensó
tan notable desatino?   935
¿Qué importará que el destino
quiera, si no quiero yo?
 Del cielo es la inclinación:

el sí o el no todo es mío;
que el hado en el alvedrío
no tiene jurisdición.   940
    ¿Cómo puedo yo querer
hombre cuya cara y talle
me enfada sólo en miralle?

CELIA.   El amor lo puede hazer.

ANA.   Sólo quitará el morirme,   945
Celia, a don Mendo mi mano;
que está el plazo muy cercano
y mi voluntad muy firme.

DUQUE.   ¿Cúyos son estos balcones?

JUAN.   De doña Ana de Contreras: 950
el sol, por sus vidrïeras,
suele abrasar coraçones.

ANA.   Escucha, que hablan de mí.

DUQUE.   ¿Es la viuda de Siqueo?

JUAN.   La misma.   955

DUQUE.   Verla deseo.

MENDO.   Pues agora no está aquí.
    (Ap.) Ni yo en mí, que estoy sin ella.

DUQUE.   ¿Dónde fué?

MENDO.   Velando está
a San Diego en Alcalá.

DUQUE.   La fama dize que es bella.   960

JUAN.   Pues por impossible siento
que en algo la aya igualado
el dibujo que ha formado
la fama en tu pensamiento;
    que en belleza y bizarría,   965
en virtud y discreción,
vence a la imaginación,
si vence a la noche el día.

MENDO.   (Ap.) ¡Plega a Dios que esta alabança

no engendre en el Duque amor,   970
que con tal competidor
mal vivirá mi esperança.

Yo quiero dezir mal della
por quitar la fuerça al fuego.—
Ciego sois, o yo soy ciego,   975
o la viuda no es tan bella.

Ella tiene el cerca feo,
si el lexos os ha agradado;
que yo estoy desengañado,
porque en su casa la veo.   980

DUQUE.   ¿Visitáisla?
MENDO.   Por pariente,
alguna vez la visito;
que si no, fuera delito,
según es impertinente.

ANA.   ¡Ha, traidor!   985
MENDO.   Si el labio mueve
su mediano entendimiento,
elado queda su aliento
entre palabras de nieve.

BELTRÁN.   (*Ap. con* DON JUAN.)
¡Ya escampa!

---

978 Cfr. n. 1681.
986 Cfr. n. 1666.
989 *Palabras de nieve,* equivale a *sosas.* Así se llamó,
a los bufones sosos, *bufones de nieve.* V. Rojas, *Cada qual
lo que le toca,* edic. A. Castro, Madrid, 1917, pág. 228,
n. 1243. Góngora (Rivad., XXXII, 514, *c*):

"*Bufones* son los estanques,
y en qué lo son lo diré:
en lo *frío* lo primero,
que se me ha de conceder."

JUAN.	[*Ap. a* BELTRÁN.]
	¿Que trate assí 990
	un cavallero a quien ama?
BELTRÁN.	Esto dize de su dama:
	¡mira qué dirá de ti!
MENDO.	Pues la edad no sufre engaños,
	aunque la tez resplandece. 995
ANA.	¡Ha, falso! ¿Qué te parece? (*A* CELIA.)
	Aun no perdona mis años.
MENDO.	Mil botes son el Jordán
	con que se remoça y laba.
DUQUE.	(*Ap. los dos.*)
	Pues ¿cómo don Juan la alaba? 1000
MENDO.	Para entre los dos, don Juan
	es un buen hombre; y si digo
	que tiene poco de sabio,
	puedo, sin hazerle agravio.
	Vuestro deudo es y mi amigo; 1005
	mas esto no es murmurar.
JUAN.	¡Que queráis poner defeto
	en tan hermoso sugeto!
MENDO.	En la rosa suele estar
	oculta la aguda espina. 1010
JUAN.	Ellos son gustos, y al mío,
	o del todo desvarío,
	o esta muger es divina.
MENDO.	Poco sabéis de mugeres.
JUAN.	Veréisla, Duque, algún día, 1015
	y acabará esta porfía
	de encontrados pareceres.
MENDO.	(*Ap.*) Don Juan me quiere matar,
	y aquello mismo que he hecho

1001   Cfr. n. 1721.

	para sossegar el pecho	1020
	del Duque, me ha de dañar.	
CELIA.	[*A su ama.*]	
	¿Qué te parece?	
ANA.	Estoy loca.	
CELIA.	¿A este hombre tienes amor?	
ANA.	El pecho abrasa el furor:	
	fuego arrojo por la boca.	1025
	¿Possible es que tal oí?	
	Vil, ¿a quien te quiere infamas?	
	¿Assí tratas a quien amas?	
CELIA.	No ama quien habla assí.	
	El te engaña.	
ANA.	Claro está.	1030
	Di que me traigan un coche:	
	bolvamos, Celia, esta noche	
	a amanecer a Alcalá,	
	que lo que aora escuché	
	castigo del cielo ha sido	1035
	por aver interrumpido	
	las novenas que empecé.	
CELIA.	Antes este desengaño	
	le deves a esta venida.	
ANA.	Si con él pierdo la vida,	1040
	mejor me estava el engaño. (*Vanse.*)	

[ESCENA XXI]

[DON JUAN y BELTRÁN, *el* DUQUE y DON MENDO.]

(*Hazen dentro ruido de cuchilladas.*)

MENDO.	Allí suenan cuchilladas.
DUQUE.	Estas damas, de mi voto,
	sigamos. (*Vase.*)

MENDO.   (*Ap. con* DON JUAN.)
            Es más devoto
            de mugeres que de espadas.   (*Vase.*)   1045
JUAN.   Y assí al más amigo abona;
            para que advertido estés.
BELTRÁN.   Su lengua, en efeto, es
            la que a nadie no perdona.   (*Vanse.*)

ACTO SEGUNDO

[*Habitación del Duque en Alcalá de Henares.*]

[ESCENA I]

(*Salen el* DUQUE, DON JUAN *y* BELTRÁN, *todos de color.*)

DUQUE.   ¿Cómo los toros dexáis?   1050
JUAN.   Viéndome sin vos en ellos,
            estava de los cabellos.
            ¿Del juego, cómo quedáis?
            Que era robado el partido.

1049 Es anticuado en tiempos de Alarcón, y procede
de Romance del Cid. Durán, *Romancero general,* I, p. 567:

> "La que a nadie no perdona,
> a reyes ni a ricos homes,
> a mí, fincado en Valencia,
> llegó a mi puerta y llamóme."

Trátase de la muerte, que, como en Horacio, *equo pulsat
pede pauperum tabernas regumque turres.* (C. B. Bourland, pág. 176.)

SEGUNDO ACTO. Por lo menos acontece tres días después
del anterior, puesto que en aquél doña Ana vuelve de
Alcalá a los seis días de la novena (n. 414-422) y aquí
aparece habiendo acabado ya la novena y dispuesta a
volverse a Madrid definitivamente (n. 1146-7).

DUQUE.	Cogiéronme de picado.
	He perdido, y me he cansado.
JUAN.	Mil cosas avéis perdido:
	el descanso, y el dinero
	y los toros.
BELTRÁN.	¿Que ay juizio
	que del cansancio haga vicio,
	y tras un hinchado cuero,
	que el mundo llama pelota,
	corra ansioso y afanado?
	¡Quánto mejor es, sentado,
	buscar los pies a una sota
	que moler piernas y braços!
	Si el cuero fuera de vino,
	aun no fuera desatino
	sacarle el alma a porrazos.
	Pero ¡perder el aliento
	con una y otra mudança,
	y alcançar, quando se alcança,
	un cuero lleno de viento,
	y quando, una pierna rota,
	brama un pobre jugador,
	ver, al compás del dolor,
	ir brincando la pelota!
JUAN.	El braço queda gustoso,
	si bien la pelota dió.
BELTRÁN.	Séneca la comparó
	al vano presuntüoso;
	y essa semejança ha dado
	sin duda al juego sabor,
	porque no ay gusto mayor
	que apalear un hinchado.
	Mas, si miras el contento
	de un jugador de pelota,

1055

1060

1065

1070

1075

1080

1085

1065: enviciado en el juego; encaprichado
a seguir.

y un caçador, que alborota
con halcón la cuerva al viento,
　¿por dicha tendrás la risa,   1090
viendo que a pressa tan corta
que, vencida, nada importa,
corre un hombre tan de prissa,
　que apenas tocan la yerva
los cavallos boladores?   1095
¡Válgaos Dios por caçadores!
¿Qué os hizo essa pobre cuerva?

DUQUE.   De la guerra has de pensar
que es la caça semejança,
y assí el ardid, la assechança,   1100
el seguir y el alcançar
es gustoso passatiempo.

BELTRÁN.   ¿Mil contra una cuerva? Sí,
bien dizes; que son assí
las pendencias deste tiempo.   1105

JUAN.   Beltrán, satírico estás.

BELTRÁN.   ¿En qué discreto, señor,
no predomina esse humor?

JUAN.   Como matas morirás.

BELTRÁN.   En Madrid estuve yo   1110
en corro de tal tixera,
que la pegava qualquiera
al padre que lo engendró;
　y, si alguno se partía
del corro, los que quedavan   1115

1106-1108 V. *El semejante a sí mismo,* III, 6 (Rivad.,
pág. 76 *c*):

　　　"—Satírico, Sancho, estás.
　　　—Pues ¿cuándo yo, mal pecado,
　　　dese pie no he cojeado?"

mucho peor dél hablavan
que él de otros hablado avía.

Yo, que conocí sus modos,
a sus lenguas tuve miedo,
y ¿qué hago? estoyme quedo   1120
hasta que se fueron todos.

Pero no me valió el arte;
que, ausentándose de allí,
sólo a murmurar de mí
hizieron un corro aparte.—   1125

Si el maldiciente mirara
este solo inconveniente,
¿hallárase un maldiciente
por un ojo de la cara?

JUAN.   ¿Fuera por esso peor?   1130
BELTRÁN. Espántome que esso ignores:
más que cien predicadores
importa un murmurador.

Yo sé quién ni con sermones,
ni quaresmas, ni consejos   1135
de amigos sabios y viejos,
puso freno a sus passiones,

ni sus costumbres reduxo
en gran tiempo; y solamente
de temor de un maldiciente,   1140
vive ya como un cartuxo.

DUQUE.   Digo que tenéis, don Juan,
entretenido crïado.
JUAN.   Es agudo, y ha estudiado
algunos años Beltrán.   1145

1128 Princeps: *hallaráse.*
1130 Parece que el verso haría más sentido poniendo
"mejor" en vez de "peor".
1144 Cfr. n. 20.

Duque.	¿Qué ay de doña Ana?
Juan.	Esta noche

parte, sin duda, a Madrid.

Duque.	Nuestra invención prevenid.
Juan.	Ella, Duque, va en su coche;

su gente, en uno alquilado.   1150

Duque.	Bien nos viene.
Juan.	Assí lo espero.
Duque.	¿Apercibióse el cochero?
Juan.	Ya, señor, lo he concertado.
Duque.	¿Y está en los toros doña Ana?
Juan.	No la he visto; pero sé 1155

que, quando en ellos esté,
ni en andamio ni en ventana
de suerte estará que pueda
ser de nadie conocida;
que no por fiestas olvida   1160
obligaciones que hereda.

Duque.	¿Quántos toros vistes?
Juan.	Tres,

y entró don Mendo al tercero,
despreciando en un overo
al amor y al interés.   1165
    Salió con verde librea;
robando assí coraçones,
que aun el toró a sus rejones
con su muerte lisongea.

Duque.	¿Tan bueno anduvo el Guzmán? 1170
Juan.	En todo es hombre excelente

don Mendo.

1157 Los toros eran en plazas y lugares improvisados;
se alzaban andamios para unos, y otros los veían desde
ventanas de las casas vecinas.

DUQUE.   (*Ap.*)   ¡Quán diferente
suele hablar él de don Juan!—
Cansado estoy.

JUAN.   Reposar
podéis, señor, entre tanto   1175
que da Tetis con su manto
a nuestra invención lugar.

DUQUE.   Que a su tiempo me despiertes,
te encargo.   (*Vase.*)

JUAN.   Tendré cuidado.

1176 Hartzenbusch creyó que aquí *Tetis* era error, por
Dictis (*Dictina*)—que es la noche, o más bien, Diana, la
luna—. Pero se trata de Tetis, la esposa de Neptuno, en
cuyo seno se sumerge el sol al anochecer. Como observa
C. B. Bourland, en el nombre castellano *Tetis* se confun-
den "Tethys", la esposa de Neptuno, y "Thetis", la madre de Aquiles y esposa de Peleo.

V. *La manganilla de Melilla*, I, 2:

> "Y ayer, después que escondió
> Tetis, en la alcoua negra
> que dió tálamo a Peleo,
> del sol las doradas trenças..."

Alarcón, como se ve, ha dado aquí a "Thetis" los atributos de "Tethys". Esto, como advierte el profesor Reed,
acontece desde la edad de plata de las letras latinas, y así
también en Camoens, *Lusiadas*, III, 115:

> "Ja se hia o sol ardente recolhendo
> para a casa de *Thetis*."

El comentarista Faria y Sousa (Madrid, 1639, 169) ha
pasado por este verso sin hacer el menor reparo. Y Rojas,
en la "Exposición de nombres" que pone al fin de su
Viaje Entretenido (1604), dice: "*Tetis*, hija de Celo y
Besta, *muger de Pelo*, madre de Aquiles *y muger de Neptuno*."

[ESCENA II]

[Don Juan y Beltrán.]

BELTRÁN. ¿Por qué, señor, no has pintado   1180
cavallos, toros y suertes?
Que con esso, y con tratar
mal a los calbos, hizieras
comedias, con que pudieras
tu pobreza remediar.   1185
A que te cuenten me obligo,
seiscientos por cada una.

JUAN. Pues supongamos que en una
esso que me adviertes digo:
en otra, ¿qué he de dezir?   1190
Que a un poeta le está mal
no variar; que el caudal
se muestra en no repetir.

BELTRÁN. Para dar desconocidos
estos platos duplicados,   1195
dar aquí calbos assados,
y acullá, calbos cozidos.
Pero, señor, a las veras
buelva la conversación.
¿No me dirás la intención   1200
que llevan estas quimeras?
¿Para qué se han prevenido
los dos capotes grosseros?

1187 C. B. Bourland, recuerda que en 1601 *La hermosa Alfreda* produjo a Lope 500 reales, que podemos considerar como un máximo. El precio es notablemente superior ya a mediados del siglo XVII. A. H. RENNERT, *The Spanish Stage,* New York, 1909, pág. 177.

¿Qué es esto de los cocheros?

JUAN.
Escucha: irás advertido.   1205
    Desde aquella alegre noche
que al gran Precursor el suelo
celebra por alva hermosa
del Sol de Justicia eterno,
de la encontrada porfía   1210
en que me opuso don Mendo,
a mil gracias que conté
de doña Ana, mil defetos,
en el coraçón del Duque
nació un curioso deseo   1215
de cometer a sus ojos
la difinición del pleito.
A don Mendo le explicó
el Duque este pensamiento,
y para ver a doña Ana,   1220
quiso que él fuesse el tercero.
El se escusó, procurando
divertirlo deste intento,
o temiendo mi vitoria,
o anticipando sus zelos.   1225
Creció en el mancebo Duque
el apetito con esto;
que, sospechando su amor,
hizo tema del deseo.
Declaróme su intención,   1230
y yo en su ayuda me ofrezco,
dándome esperança a mí
lo que temor a don Mendo.
Y como doña Ana estava
aquí, velando a San Diego,   1235

_____

1206   La de San Juan.

venimos oy a los toros,
más por verla que por verlos.
Y sabiendo que esta noche
se parte mi dulce dueño,
por quien ya comiença Enares   1240
el lloroso sentimiento;
por poder gozar mejor
de su cara y de su ingenio,
porque las gracias del alma
son alma de las del cuerpo;   1245
traçamos acompañarla,
sirviéndole de cocheros,
nuevos faetones del Sol,
si atrevidos, no sobervios.
Con los cocheros ha sido   1250
para este fin el concierto,
para esto la prevención
de los capotes grosseros;
que a tales traças obliga
en ella el recato honesto,   1255
en el Duque sus antojos
y en mí, Beltrán, mis deseos.

BELTRÁN. Todo lo demás alcanço,
y esso postrero no entiendo.
¿Cómo en el amor del Duque   12 0
funda el tuyo su remedio?

JUAN. Mientras sin contrario fuerte   *Machiavelli!*
ame a doña Ana don Mendo,
ella está en su amor muy firme:
a mudalla no me atrevo;   1265
y como el Duque es persona
a cuyas fuerças y ruegos   *véase p. 178.*
puede mudarse doña Ana,
que la conquiste pretendo,

               para que, andando mudable,   1270
               entre los fuertes opuestos,
               no estando firme en su amor,
               esté flaca a mi deseo.

BELTRÁN. Essa es cautela que enseña
               el diestro don Luis Pacheco,   1275
               que dize que está la espada
               más flaca en el movimiento.

JUAN.   Mejor se sugeta entonces:
               de essa lición me aprovecho.

BELTRÁN. Y dime, por vida tuya,   1280
               ¿agora sales con esto?
               ¿No eres tú quien me dixiste:
               "Si desta vez no la muevo,
               morirá mi pretensión,
               aunque vivan mis deseos"?   1285

JUAN.   Imita mi amor al hijo
               de la tierra: aquel Anteo,
               que, derribado, cobrava
               nueva fuerça y valor nuevo.

BELTRÁN. Pensé que, desesperado,   1290
               lo curavas como a muerto;
               que aunque la traça es aguda,
               pongo gran duda en su efeto;
               (que el Duque es muy poderoso:
               llevarála.

    1275 Don Luis Pacheco de Narváez, famoso maestro
de armas del rey Felipe IV, rival de Quevedo, autor de
libros de esgrima tan ambiciosos y pedantes como todos
los que se dedicaban en su tiempo a esa materia. V. *La
Verdad sospechosa,* notas a los versos n. 2734 y sigts.

    1285 Cfr. n. 113-116.

    1287 Gigante, hijo de Poseidón y Gea, la tierra. Hér-
cules, que lo veía alzarse del suelo cada vez más fuerte,
lo dominó levantándolo en vilo y estrangulándolo.

JUAN.   Por lo menos,   1295
              si vence, alivio será
              que por un Duque la pierdo;
              y si no, consolaráme
              ver que lo que yo no puedo,
              tampoco ha podido un Duque.   1300
BELTRÁN. En fe de aquessos consuelos,
              has cortado la cabeça
              totalmente a tus intentos,
              y estando tu mal dudoso,
              has querido hazerlo cierto.   1305
              Quieres que el Duque la lleve
              por quitársela a don Mendo,
              y, del daño, el daño mismo
              has tomado por remedio.
              El epigrama que a Fanio   1310
              hizo Marcial, viene a pelo.
JUAN.   ¿Cómo dize?
BELTRÁN.   Traduzido,
              dize assí, en lenguage nuestro:
              "Queriendo Fanio huír
              sus contrarios, se mató."   1315
              ¿No es furor, pregunto yo,
              para no morir, morir?
JUAN.   El epigrama es agudo;
              mas la aplicación te niego;
              que no es, como tú imaginas,   1320
              que vença el Duque, tan cierto;
              que si él es grande de España,
              es el querido don Mendo,

1311 *Epigr.*, II, 80. Alarcón gusta de citar a Marcial.
El epigr. II, 9, en *La verdad sospechosa*, v. 2296, y en *No
hay mal que por bien no venga*, II, 9.

y esto es ser grande también
en la presencia de Venus.   1325

BELTRÁN. Grandes son los dos contrarios,
y tú, señor, muy pequeño;
mas, si Fortuna te ayuda,
juzgo possible tu intento.
Dos valientes salteadores,   1330
por un hurto que avían hecho
riñeron; que cada qual
lo quiso llevar entero:
y, mientras ellos reñían,
un ladronzillo ratero   1335
cogió la presa.

JUAN.   Dios quiera
que me suceda lo mesmo.   (*Vanse.*)

[*Sala en la casa donde se hospeda* DOÑA ANA
en Alcalá.]

[ESCENA III]

(*Salen* DOÑA ANA y LUCRECIA, *de camino.*)

ANA.   ¿Cómo en los toros te ha ido?
LUCRECIA. Jamás hizieron provecho
en las dolencias del pecho   1340
los remedios del sentido;

1325 Notese el empleo de *Venus* como asonante de
Mendo y pequeño. "En la sílaba final grave, la *i,* si está
sola, se reputa por *e* a causa de la semejanza de estas
vocales inacentuadas, y la *u,* en iguales circunstancias y
por la misma razón, se reputa por *o*", dice Bello en su
Arte Métrica (*Obras: Opúsculos gramaticales,* I, Madrid,
1890, pág. 343) tratando de la asonancia. Y a continuación
da el ejemplo: "*Pólux—lloro.*"

que en un rabioso cuidado,
tanto con el alma assisto,
que, aunque los toros he visto,
prima, no los he mirado.   1345

ANA.   Yo apostaré que ay amor.
LUCRECIA. Forçoso es ya que te cuente,
porque el daño no se aumente,
la causa de mi dolor.—

Doze vezes ha vestido   1350
Febo de luz a su hermana,
después, hermosa doña Ana,
que me sugetó Cupido.

Mas no fácil en mi amor
llevó el que adoro la palma;   1355
que al postrer precio del alma
le rendí el primer favor.

Hasta aquí te lo he callado,
porque muestra liviandad
la que sin necessidad   1360
manifiesta su cuidado;

mas ya que teme el amor,
si callo, un agravio injusto,
viendo que se anega el gusto,
se arroja a nado el honor.   1365

Don Mendo es, pues, el sugeto
por quien quiso amor que muera;
que menor causa no hiziera
en mí tan tirano efeto.

Supe que dava en mirar   1370
tu belleza soberana;
que sólo por ti, doña Ana,
me pudiera a mí olvidar.

1351 Doce lunas, un año.

A mi zelosa querella
satisfazer intentó;   1375
mas aunque el fuego aplacó,
quedó viva la centella.

Supe que a Enares venía
oy con galas y librea:
¿por quién quieres tú que sea,   1380
si a mí en Madrid me tenía?

Pedí a mi padre licencia
para venir a Alcalá,
y porque estavas tú acá,
me ha permitido esta ausencia.   1385

No vine a los toros, no,
mas a impedir nuestro daño,
con que sepas tú tu engaño
y mi desengaño yo.

Y, porque probar pretendo   1390
mi verdad, este papel
mira, y confirma con él
las traiciones de don Mendo.

A los zelos satisfaze
de que yo cargo le hize: 1395
mira de ti lo que dize
y contigo lo que haze.

       (*Da un papel a* Doña Ana *y ella lee.*)

[Ana.]   (*Papel:*) "Tu sentimiento encareces
sin escuchar mis disculpas:
quanto sin razón me culpas,   1400
tanto con razón padeces.
Si miras lo que mereces,
verás cómo la passión
te obliga a que, sin razón,

1397 Hartzenbusch corrige: "conmigo".

agravies, en tu locura,   1405
con las dudas, la hermosura,
con los zelos, la elección.
    Lucrecia: de ti a doña Ana
ventaja ay más conocida
que de la muerte a la vida,   1410
de la noche a la mañana.
¿Quién a la hermosa Dïana
trocará por una estrella?
Dexa la injusta querella,
desengaña tus enojos,   1415
que tengo un alma y dos ojos
para escoger la más bella."

LUCRECIA.   ¿Qué dizes de esse papel?
ANA.   Si estás viendo, prima, aquí
lo que él ha dicho de mí,
¿qué quieres que diga dél?   1420
Pierde el cuidado crüel
que te obliga a rezelar,
quando assí me ves tratar,
si es cosa cierta el nacer   1425
la injuria de aborrecer
y la alabança de amar.
    Mas, cansada te imagino;
entra a reposar un rato,
que, para hablar de tu ingrato,   1430
será tercero el camino.

LUCRECIA. Mi zeloso desatino
el sueño me ha de impedir.
ANA.   A las doze es el partir
forçoso.

1416-1417 Cfr. n. 1651-2.
1431 Tercero, v. n. 868.

LUCRECIA.   Y tú ¿no reposas?   1435
ANA.   No, Lucrecia; que mil cosas
        me faltan por prevenir.
LUCRECIA.   ¿Puedo ayudarte?
ANA.   Ayudarme
        dexarme sola será.
LUCRECIA. El obedecerte es ya   1440
        forçoso.   (*Vase.*)

[ESCENA IV]

[DOÑA ANA.]

ANA.   Como el matarme.—
        Celia, ven, ven a ayudarme
        a lamentar mi tormento;
        presta tu voz a mi aliento,
        que en desventura tan grave   1445
        por una boca no cabe
        a salir el sentimiento.

[ESCENA V]

[DOÑA ANA y CELIA.]

                            (*Sale* CELIA.)
CELIA.   ¿Qué ha sido?
ANA.   Nuevos agravios
        del vil don Mendo; que, en suma,

1438-1442 *Ayudarme,* rima repetida, como *corazón,* en
v. 1472. También *El semejante a sí mismo,* III, 6:

> "Porque el poeta no en balde
> haber dicho considero:
> "A los moros por dinero,
> y a los cristianos de balde."

firma también con la pluma   1450
lo que afirmó con los labios.

CELIA.   Mudar consejo es de sabios;
           hasta aquí nada has perdido;
           tu misma vista y oído
           te han avisado tu daño: 1455
           agradece el desengaño
           que a tan buen tiempo ha venido.

           Quien assí te injuria ausente
           y presente lisongea,
           o, engañoso, te desea,   1460
           o, deseoso, te miente;
           y, quando cumplir intente
           lo que ofrece y ser tu esposo,
           si ordinario, y aun forçoso
           es el cansarse un marido,   1465
           ¿cómo hablará arrepentido
           quien habla assí deseoso?

ANA.   No es, Celia, mi coraçón
           ángel en aprehender,
           que nunca pueda perder   1470
           la primera aprehensión:

1452 V. *Mudarse por mejorarse,* I, i :

        "El mudar de pareceres
        con causa, de sabios es..."

1469 Según Santo Tomás, las aprehensiones de los ángeles no proceden de las cosas, sino que les son connatu-
rales: de suerte que no pueden mudarse con las cosas.
    C. B. Bourland compara con Shakespeare, *Hamlet,* III, 2 :
"*... how like an Angell in apprehension*" (is a man).
    V. *Mudarse por mejorarse,* II, xiv, 7-8 :

        "Que es de ángel su entendimiento,
        y entiende sin discurrir."

    no es bronze mi coraçón,
    en quien viven inmortales
    las esculpidas señales;
    mudarse puede mi amor: 1475
    si puede, ¿quándo mejor
    que con ocasiones tales?

    No pienses que está ya en mí
    tan poderoso y entero
    el gigante amor primero   1480
    a quien tanto me rendí.
    Desde la noche que oí
    mis agravios, la memoria
    en tan afrentosa historia
    tan rabiosamente piensa,   1485
    que entre el amor y la ofensa
    dudava ya la vitoria.

    Pero con tan gran pujança
    la nueva injuria ha venido,
    que del todo se ha rendido   1490
    el amor a la vengança.

CELIA.   ¿Serás firme en la mudança?
ANA.   O el Cielo mi mal aumente.
CELIA.   Tus venturas acreciente
    como el contento me ha dado   1495
    tu pensamiento, mudado
    de un hombre tan maldiciente.

    Que desde que, estando un día
    viéndote por una reja,
    la cerré y me llamó vieja,   1500
    sin pensar que yo lo oía,

1472 V. n. 1443.
1500 Cfr. 1779.
1500-1 V. 150-180, en relación con n. 1521 y sigts.
"Celia acostumbra escuchar tras de la puerta."

tal qual soy, no lo querría,
si él fuesse del mundo Adán.

ANA.   Que eran botes mi Jordán
dixo de mí; ¿qué te altera   1505
que a tus años se atreviera?

CELIA. ¡Quán diferente es don Juan!
Ofendido y despreciado
es honrar su condición,
quanto el lengua de escorpión   1510
ofende, siendo estimado.
Una vez, desesperado,
don Juan se quexava assí:
"¿Qué delito cometí
en quererte, ingrata fiera?   1515
¡Quiera Dios!... Pero no quiera;
que te quiero más que a mí."
¡Si vieras la cortesía
y humildad con que me habló
quando licencia pidió   1520
para verte el otro día!

1503 Creo que hay un equívoco, usándose "Adán" a
la vez por el primer hombre y por el más viejo de los
hombres. En *El Desdichado en fingir*, I, 13, hay otro
equívoco:

"Y el que a todos honràs dió,
que fué Adán, ¿no fué crïado?"

Creado y sirviente.
1504 Cfr. n. 998.
1514 Cfr. n. 309.—Y la nota al 1521.
1521 y sigts. V. n. 150-180.—Adviértase que todo lo
dicho por don Juan en defensa de Celia es en ausencia de
ésta, puesto que ella sale de escena después del v. 168.
Habrá que suponer que permanece a la escucha, como lo
hizo con don Mendo en los v. 1500-1501. Asimismo pare-

¡Si vieras lo que dezía
en mi defensa [a] un criado,
que porfiava arrojado
que, si yo dificultava   1525
la visita, lo causava
ser él pobre y desdichado!
  ¡Si vieras!... Pero ¿qué vieras
que igualasse a lo que viste,
quando del traidor le oíste   1530
defenderte tan de veras?
Ya te (h)ablandaras si fueras
formada de pedernal.

ANA. ¿Qué te obliga a que tan mal
te parezca mi desdén?   1535

CELIA. Tener a quien habla bien
inclinación natural;
  y sin ella, me obligara
la razón a que lo hiziera.

ANA. Celia, ¡si don Juan tuviera   1540
mejor talle y mejor cara!...

CELIA. Pues ¡cómo! ¿en esso repara
una tan cuerda muger?
En el hombre no has de ver
la hermosura o gentileza: 1545
su hermosura es la nobleza,
su gentileza el saber.
  Lo visible es el tessoro
de moças faltas de seso,

---

ce haber oído lo que don Juan habló a solas. V. núms. 309
y 1514.

1547 V. *Comedia Tibalda,* de Perálvarez de Ayllón y
Luis Hurtado de Mendoza (edic. A. Bonilla, 1903), pág. 66:

   "Myra, Tibaldo: la disposición,
piernas, ni gesto, ni ser muy derecho,

y, las más vezes, por esso 1550
topan con un asno de oro.
Por esto no tiene el moro
ventanas; y es cosa clara
que, aunque al principio repara
la vista, con la costumbre 1555
pierde el gusto o pesadumbre
de la buena o mala cara.

ANA. No niego que, desde el día
que defenderme le oí,
tiene ya don Juan en mí 1560
mejor lugar que solía;
porque el beneficio cría
obligación natural:
y pues el rigor mortal
aplacó ya mi desdén, 1565
principio es de querer bien
el dexar de querer mal.
Pero no fácil se olvida
amor que costumbre ha hecho,
por más que se valga el pecho 1570
de la ofensa recebida,
y una forma corrompida

---

entre discretos poco haze al hecho,
pues solas las obras nos dan perfiçión."

Dice esto Griseño, que es deforme. Más adelante dice
Tibaldo, arrepentido (v. n. 1463):

"Que tus defetos yo no publicava,
pues los naturales no dan desonor."

Y en el v. n. 1567:

"Ya yo conozco ser alto secreto
que quiso esconder en chico sugeto
gracias divinas y tal razonar."

a otra forma haze lugar.
(Mas bien puedes confiar
que el tiempo irá introduziendo   1575
a don Juan, pues a don Mendo
he començado a olvidar.)

CELIA.   ¿Podré yo ver el papel?
ANA.   Pide luzes, que la oscura
noche impedirte procura   1580
ver mis agravios en él.

CELIA.   Ya están las luzes aquí.
ANA.   Ten el papel.

                    (*Dale el papel a* CELIA.)

[ESCENA VI]

(*Sale el* ESCUDERO.—[DICHAS.])

ESCUDERO.   Dos cocheros
piden licencia de veros.

ANA.   Entren.

ESCUDERO.   Entrad.   [*Vase.*]

[ESCENA VII]

(*Salen el* DUQUE *y* DON JUAN *de cocheros.*—[DICHAS.]

JUAN.   [*Ap. al* DUQUE.] Pues a ti   1585
nunca te ha visto, seguro
habla de ser conocido,
mientras yo callo, escondido
en manto de sombra obscuro.

DUQUE.   El cielo os guarde, señora.   1590
ANA.   Bien venido.
DUQUE.   Acá me embía

el cochero que os servía,
y no puede hazerlo agora,
rendido a un dolor crüel.
¿A qué hora avéis de partir?   1595
que os tengo yo de servir
esta jornada por él.

ANA.   ¿Tanto es su mal?

JUAN.   Por lo menos,
no podrá serviros oy.

ANA.   Pésame.

DUQUE.   Persona soy   1600
con quien no lo echaréis menos.

ANA.   A media noche esté el coche
prevenido a la carrera.

DUQUE.   Y será la vez primera
que el sol sale a media noche.   1605

ANA.   ¿Cómo es esso?

DUQUE.   ¿Cómo es esso?

ANA.   ¿Tierno sois?

DUQUE.   ¿Es contra ley?
Alma tengo como el rey;
aunque este oficio professo,
no huyo de amor los males,   1610
que, si por ellos no fuera,
yo os juro que no estuviera
cubierto destos sayales.

ANA.   Pues qué ¿son disfraz de amor
por infanta pretendida?   1615

DUQUE.   Puede ser.

ANA.   ¡Bien, por mi vida!
El cochero tiene humor.

1607 V. *La Verdad sospechosa,* v. n. 290.
1617 *Humor,* véase *La Verdad sospechosa,* v. n. 171.

CELIA.	Don Mendo viene.	
ANA.	Id con Dios,	
	y a media noche os espero.	
DUQUE.	Tengo, por mi compañero,	1620
	también que tratar con vos;	
	que es suyo el coche en que va	
	vuestra gente; y esta noche	
	ya veis quánto vale un coche,	
	y concertado no está.	1625
	La visita recebid,	
	que los dos esperaremos.	
ANA.	Por esso no reñiremos	
	si con bien llego a Madrid.	
DUQUE.	Señora, entre padres y hijos	1630
	parece bien el concierto.	

(*Apártase el* DUQUE [*con* DON JUAN.])

[ESCENA VIII]

(*Salen* DON MENDO y LEONARDO.—[DICHOS.])

MENDO.	¡Gloria a Dios, que llego al puerto	
	de combates tan prolixos!	
DUQUE.	[*Ap. a* D. JUAN.]	
	Escuchar pretendo assí	
	si a don Mendo favorece	1635
	doña Ana.	
JUAN.	Pues ¿qué os parece?	
DUQUE.	Que por mi daño la vi. —	

1630 Frase hecha. V. el *Vocabulario* de Correas, pá
gina *127 v*: "Entre padres y hijos es buena la cuenta."

[ESCENA IX]

(*Salen* Lucrecia *y* Ortiz.—[Dichos.])

Lucrecia.	¡Don Mendo con ella, Cielos!
Ortiz.	[*Ap. a su ama.*]
	¿Si sabe que estás acá?

(Pónese Lucrecia a escuchar.)

Lucrecia. Cerca el desengaño está.   1640
Ortiz. Oy averiguas tus zelos.—
Mendo.   ¿Qué es esto, doña Ana hermosa?
        ¿No me respondes? ¿Qué es esto?
        ¿Quién ha mudado tan presto
        mi fortuna venturosa?   1645
            ¿Tú, señora, estás assí
        grave y callada conmigo?
        ¿Quién me ha puesto mal contigo?
        ¿Quién te ha dicho mal de mí?
            Habla: dime tu querella.   1650
Ana.   ¿Tú puedes causarme enojos
        teniendo "un alma y dos ojos
        para escoger la más bella"?
Mendo. [*Ap.*] Palabras son que escriví
        a la engañada Lucrecia.—   1655
        Esperado avrá la necia
        Lucrecia tener de mí
            favor con hazerme daño;
        mas no pienso que le importe.
        Vamos, señora, a la corte,   1660
        verás si la desengaño...
Lucrecia. (*Ap.*) ¡Ha, falso!—
Mendo.   Que su favor
        no estimo, por que concluya,

1651-2 V. n. 1416-1417.

	lo que una palabra tuya,	
	aunque la engendre el rigor.	1665
ANA.	¿Cómo, pues, "si el labio mueve	
	mi mediano entendimiento,	
	elado queda mi aliento	
	entre palabras de nieve"?	
MENDO.	(*Ap.*) Don Juan le devió de dar	1670
	cuenta de nuestra porfía;	
	mas aquí la industria mía	
	las suertes ha de trocar;	
	que si la verdad confiesso,	
	y que el amor y el poder	1675
	temí del Duque, es muger,	
	y despertará con esso.—	
	Buelve esse rostro, en que veo	
	cifrado el cielo de amor.	
ANA.	Don Mendo, assí está mejor	1680
	quien tiene "el cerca tan feo".	
MENDO.	Ya colijo que don Juan	
	de Mendoça, mal mirado,	
	la contienda te ha contado	
	de la noche de San Juan;	1685
	que conozco essas razones	
	que el necio dixo de ti,	
	porque yo le defendí	
	tus divinas perfecciones.	
JUAN.	[*Ap.*] ¡Ha, traidor!—	
DUQUE.	[*Ap. a* D. JUAN.] Dissimulad.—	1690
MENDO.	Pero don Juan bien podía	
	callar, pues que yo quería	
	perdonar su necedad.	

1666   V. n. 986-989.
1681   V. n. 978.

Mas ya que estás dessa suerte
de mí, señora, ofendida, 1695
porque le dexé la vida
a quien se atrevió a ofenderte,
no me culpes; que el estar
el duque Urbino presente
pudo de mi furia ardiente 1700
el ímpetu refrenar.

CELIA. [*Ap. a su ama.*]
¡Qué embustero!

ANA. [*Ap.*] ¡Qué engañoso!

CELIA. [*Ap. a su ama.*]
¡Mira con quién te casavas!—

MENDO. Si por esso me privavas
de ver esse cielo hermoso, 1705
buelve; que presto por mí
cortada verás la lengua
que en tus gracias puso mengua.

ANA. Pues guárdate tú de ti.

MENDO. ¿Yo de mí? ¿Luego yo he sido 1710
quien te ofendió?

ANA. Claro está.
¿Quién si no tú?

MENDO. ¿Quánto va
que esse falso fementido,
lisongero universal
con capa de bien hablado, 1715
por adularte ha contado
que él dixo bien y yo mal?

1712 V. n. 177.
1714 *Lisongero universal,* compárese con *Los Pechos privilegiados,* III, 3 (Rivad., XX, 427 c): *envidioso universal.*

	Mas brevemente verán	
	estos ojos, dueño hermoso,	
	castigado al malicioso.	1720
ANA.	"Para entre los dos, don Juan	
	es un buen hombre; y si digo	
	que tiene poco de sabio,	
	puedo, sin hazerle agravio:	
	vuestro deudo es y mi amigo;	1725
	mas esto no es murmurar."	
MENDO.	Esso dixe a solas yo	
	al Duque, que se admiró	
	de verle vituperar	
	lo que yo tanto alabé.	1730
ANA.	Dilo al revés.	
MENDO.	Según esto,	
	quien contigo mal me ha puesto	
	el Duque sin duda fué.	
	¡Aun no ha llegado a la corte	
	y ya en enredos se emplea!	1735
	¿O piensa que está en su aldea,	
	para que nada le importe	
	su grandeza o calidad	
	al necio rapaz conmigo,	
	para no darle el castigo?	1740
DUQUE.	[Ap.] ¡Ha, traidor!	
JUAN.	[Ap. al DUQUE.] Dissimulad.—	
ANA.	¿Qué sirven falsas escusas,	
	qué quimeras, qué invenciones,	
	donde la misma verdad	
	acusa tu lengua torpe?	1745
	Hablas tú tan mal de mí	
	sin que contigo te enojes,	

1721 V. n. 1001.

¿y enójaste con quien pudo
contarme tus sinrazones?
Quien te daña es la verdad   1750
de las culpas que te ponen.
Si pecaste y yo lo supe,
¿qué importa saber de dónde?
Pues nadie me ha referido
lo que hablaste aquella noche: 1755
verdad te digo, o la muerte
en agraz mis años corte.
Y siendo assí, sabes tú
que son las mismas razones
las que aquí me has escuchado   1760
que las que dixiste entonces.
Y pues las sé, bien te puedes
despedir de mis favores,
y, a toda ley, hablar bien,
porque *las paredes oyen.*   (*Vase.*)   1765

[ESCENA X]

[Don Mendo, Celia y Leonardo; *el* Duque *y* Don Juan,
acechando aparte; Doña Lucrecia *y* Ortiz, *acechando
a otra parte.*]

Mendo.   Buelve, escucha, dueño hermoso,
lo que mi fe te responde;
y pues oyen las paredes,
oye tú mis tristes vozes.
Lucrecia. [*Ap.*] Mas que de tristeza mueras.—   1770
            (*Vase* [*con* Ortiz].)
Celia.   [*Ap.*] Mas que eternamente llores.—

1770-1   *Masque* = aunque, locución familiar no bien in-

DUQUE.	[*Ap. a* D. JUAN.]		
	¿De dónde pudo doña Ana		
	saber lo que aquella noche		
	hablamos?		
JUAN.	Yo no lo he dicho.		
DUQUE.	Ni yo.	(*Vase.*)	
JUAN.	*Las paredes oyen.*—	(*Vase.*)	1775
MENDO.	Oyeme tú, Celia: assí		
	tus floridos años logres.		
CELIA.	Las que ya llamaste canas,		
	¿cómo agora llamas flores?		
MENDO.	¿Quién te ha dicho tal de mí,		1780
	Celia?		
CELIA.	*Las paredes oyen.*	(*Vase.*)	

---

terpretada por los eruditos extranjeros. Algún pasaje de
Bretón de los Herreros dice:

> "Y *aunque* sirva de sarao
> la cocina de un mesón,
> y *masque* cuelguen candiles
> y el espejo sea un perol
> ....
> y haga Juana una cabriola,
> y *masque* sea una coz..."

En México, donde está muy extendido el uso de esta
locución, hay una copla popular que dice:

> "Masque me revuelque un toro,
> masque me caiga y me raspe,
> masque me suceda todo:
> siendo por mi gusto, masque."

1779 V. n. 1500.

[ESCENA XI]

[Don Mendo y Leonardo.]

MENDO.   ¿Qué es esto, suerte enemiga?
            ¿Por tan falsas ocasiones,
            tan verdadera mudança
            en voluntad tan conforme?   1785
            ¡Que pueda ser, quien me ha dado
            los más estrechos favores,
            a mi acusación, de cera,
            y a mi descargo, de bronze!
            ¿A mis contrarios escuchas?   1790
            ¿a malos terceros oyes?
            ¿a mí el oído me niegas?
            ¿a mí la cara me escondes?
LEONARDO. Con la passión no discurres.
            ¿Posible es que no conoces   1795
            que tan estraños efetos
            a mayor causa responden?
            No por las culpas que dize
            ay mudança en sus amores,
            antes por aver mudança   1800
            aquestas culpas te pone.
            Que si el enojo que ves
            causaran tus sinrazones,
            no tan resuelta negara
            los oídos a tus vozes;   1805
            que, a quien obligan ofensas
            de quien ama a que se enoje,

ESCENA XI: tiene que suceder en la calle. V. n. 1839:
    "De *allá* han salido dos hombres."
Allá es la puerta de doña Ana. V. n. 1854.

la satisfación desea
quando la culpa propone.
Doña Ana no quiso oírte,   1810
y, assí, me espanta que ignores
que culpas ha menester,
pues huye satisfaciones;
y el que anda a caça de culpas,
intención resuelta esconde,   1815
y pretende dar color
de castigo a sus errores.

MENDO.   Bien imaginas.

LEONARDO.   Señor,

ciego estás, pues no conoces
su desamor en su ausencia,   1820
su engaño en sus dilaciones.
Dilató por las novenas
el matrimonio: engañóte;
que no ay muger que al amor
prefiera las devociones.   1825
Con secreto caminava
a otro fin su trato doble;
y, por si no lo alcançasse,
entretuvo sus amores.
Ya lo alcançó, y te despide   1830
sin que en descargo le informes;
que ha menester que tus culpas
su injusta mudança abonen.

MENDO.   Agudamente discurres;

mas por los celestes orbes   1835

1831 *Informar en descargo* es frase judicial: declarar
en abono de un culpado.

1835 Sobre las esferas u orbes celestes, v. n. 470.

juro que me he de vengar
de su rigor esta noche.

LEONARDO. Poderoso eres, señor.
MENDO. De allá han salido dos hombres.
LEONARDO. Cocheros son de doña Ana.   1840
MENDO. La fortuna me socorre.

[ESCENA XII]

(*Salen el* DUQUE *y* DON JUAN [*de cocheros.*—DON MENDO
y LEONARDO.])

DUQUE. [*Ap. con* D. JUAN.]
Ni vi hermosura mayor,
ni igual discreción oí.

JUAN. ¿Luego a don Mendo vencí?
DUQUE. Preguntádselo a mi amor.   1845
¡Vive el Cielo, que estoy loco!

JUAN. (*Ap.*) Mi invención es ya dichosa.—
DUQUE. Será mi esposa.
JUAN.   ¿Tú esposa?
DUQUE. Sí.
JUAN. (*Ap.*) Ni tanto ni tan poco.—
MENDO.   Dios os guarde, buena gente.   1850
DUQUE. ¿Quién va allá?
MENDO.   Don Mendo soy
de Guzmán.

DUQUE. (*Ap.*)   Por darle estoy
el castigo aquí.

JUAN.   Detente;
que es de doña Ana esta puerta.—

1849 La prínceps, *tampoco.*

DUQUE.   ¿Qué mandáis?

MENDO.   Que me digáis,   1855
pues a doña Ana lleváis,
¿a qué hora se concierta
la partida?

DUQUE.   A media noche.

MENDO.   Una cosa avéis de hazer,
que me obligo a agradecer.   1860

DUQUE.   Dezilda.

MENDO.   Apartar el coche
en que fuere vuestro dueño
del camino un trecho largo,
haziendo del yerro cargo
a la obscuridad o al sueño.   1865

DUQUE.   ¿Para qué fin?

MENDO.   Solamente
hablarle pretendo, amigos,
con espacio y sin testigos.

DUQUE.   ¿Cosa que algún hecho intente
que nos cueste?...

MENDO.   No os dé pena,   1870
quando yo os amparo, el miedo.
La obligación en que os quedo

1869   V. *La Verdad sospechosa*, v. n. 153:

  "*¿Cosa* que a su calidad
  será dañosa en Madrid?"

V. también Lope, *La Niña de plata*, III, XIII:

  "—¿A qué vienes?
                    —A casarme.
  —¿A casarte?
                    —Señor, sí.
  —¿*Cosa* que fuese con él?"

                    publique aquesta cadena,
                        (*Dale una cadena, y tómala el* DUQUE.)
                    que podéis los dos partir.
DUQUE.   No, señor.
MENDO.   Esto ha de ser.   1875
DUQUE.   Una cosa avéis de hazer
            si os avemos de servir.
MENDO.   Hablad, pues.
DUQUE.   Que a la ocasión
            no vais más de dos amigos;
            porque quantos son testigos,   1880
            tantos enemigos son.
MENDO.   Solos iremos los dos:
            desto la palabra os doy.
DUQUE.   Con esso, a serviros voy.
MENDO.   Y yo a seguiros.
DUQUE.   Adiós;   1885
            que es hora ya de partir.
JUAN.   [*Ap. al* DUQUE.]
            ¿Dónde con tu intento vas?
DUQUE.   Presto, don Juan, lo verás.
                            (*Vanse los dos.*)

                    [ESCENA XIII]

                [DON MENDO y LEONARDO.]

MENDO.   Manda luego apercebir,
                Leonardo, los dos rozines   1890
            de campo, para alcançar
            esta fiera. Oy he de dar
            a esta caça dulces fines.
LEONARDO.   No lo dudes, pues está
            tan de tu parte el cochero.   1895

MENDO.   Como esso puede el dinero.

LEONARDO. Contra su dueño será,
            si de su favor te ayudas.

MENDO.   El primer cochero agora
            no será que a su señora   1900
            aya servido de Judas.   (*Vanse.*)

[*Campo inmediato al camino real de Alcalá a Madrid.*]

[ESCENA XIV] *

[ARRIEROS y UNA MUJER; *después* DON MENDO y DOÑA
ANA, *todos dentro.*]

                                    (*Cantan dentro.*)

    1.   *Venta de Viveros,*
           ¡ dichoso sitio,
           si el ventero es cristiano,
           y es moro el vino!   1905

1896   Frase hecha. V. Lope, *Las Flores de don Juan,*
I, 8 :

        "Como eso puedo el dinero."

Id., *El Bobo del colegio,* I, 3 :

        "Como eso puede el dinero."

En *La Dorotea,* de Lope :

        "Como esas cosas andan impresas."
        "Como eso dirá Plinio."

Y en el *Quijote,* I, XVIII (Ed. Rodríguez Marín en "La
Lectura"), pág. 91, t. y n.: "Como eso puede desaparecer y
contrahacer aquel ladrón del sabio mi enemigo."
    Como eso vale: "tanto así".
    1899   V. *La Verdad sospechosa,* v. n. 436.
    *   Toda la escena sucede fuera del proscenio.
    1902   V. v. n. 401.—La venta de Viveros, entre Madrid
y Alcalá, es célebre en la literatura. *Por el sótano y el*

> *¡Sitio dichoso,*
> *si el ventero es cristiano,*
> *y el vino es moro!*

2.   *Con mi albarda y mi burro*
>   *no embidio nada;*   1910
>   *que son coches de pobres*
>   *burros y albardas.*

(Vna muger.)

MUGER.   *Tan gustosa vengo*
>   *de ver los toros,*
>   *que nunca se me quitan*   1915
>   *dentre los ojos.*

3.   *Vnos ojos que adoro*
>   *llevo a las ancas:*
>   *¿quién ha visto los ojos*
>   *a las espaldas?*   1920

(Dentro, un arriero.)

ARRIERO.   ¿Gruñes, o gritas, o cantas?
[OTRO.] * Mis males espanto assí.
ARRIERO.   ¿Somos tus males aquí?
>   Porque también nos espantas.
[OTRO.] * Calla, y toma mi consejo: 1925
>   que no es la miel para ti.
ARRIERO.   ¿Fuiste a ver los toros?
[OTRO.] *   Sí.
ARRIERO.   ¿Pues no ay en tu casa espejo?

---

torno, de Tirso, comienza con el vuelco de un coche cerca
de esta venta. Se la alude en Lope, *Al pasar del arroyo,*
I, 5; y en ella acontecen los sucesos del cap. IV del *Bus-*
cón. V. también *Guzmán de Alfarache,* segunda parte,
lib. II, cap. VII.

* La princeps acota 4 en todos estos lugares.
1922 Quien canta sus males espanta.
1926 No es la miel para la boca del asno, *Quijote,*
I, 52.

ARR. 2.º	¡Ha del coche! ¿Dónde bueno?	
	Del camino se han salido.	1930
ARR. 1.º	O el cochero se ha dormido,	
	o han de hazer noche al sereno.	
ARR. 2.º	¡Ha, Faetón de los cocheros,	
	que te pierdes! Por acá.	
ARR. 1.º	Por essos trigos se va.	1935
ARR. 2.º	Y tras él dos cavalleros.	
ARR. 1.º	De malas lenguas se quita	
	quien va al desierto a morar.	
ARR. 2.º	No van ellos a rezar;	
	que por allí no ay ermita.	1940
ARR. 1.º	Arre, mula de Mahoma;	
	ella haze burla de mí.	
	Dale, Francisco.	
ARR. 2.º	Echa aquí.	
ARR. 1.º	Arre: ¿qué diablo te toma? *(Vanse.)*	
MENDO.	Pára, cochero. *(Dentro.)*	
ANA.	¿Quién es?	1945
MENDO.	Don Mendo soy.	
ANA.	¡Anda!	
MENDO.	¡Pára!	

[ESCENA XV]

(Salen DON MENDO *y* DOÑA ANA, LUCRECIA *y* LEONARDO.*)*

ANA.	¿Quién sino tú se mostrara	
	conmigo tan descortés?	
MENDO.	Mi excesso y atrevimiento	
	disculpo con tu mudança.	1950
ANA.	Llámala justa vengança	
	y cuerdo arrepentimiento.	
MENDO.	¿Quién lo causó?	
ANA.	Tus traiciones.	

MENDO. ¡Ha falsa! ¿Engañarme piensas?
¿Acreditas mis ofensas   1955
por abonar tus acciones?
Pues no lograrás tu intento.

(*Llega a pelear* DON MENDO *con* DOÑA ANA, LUCRECIA *a
ayudarla, y* LEONARDO *a tener a* LUCRECIA.)

ANA. ¿Qué es esto?
MENDO.   Justo castigo
de tu mudança.
ANA.   ¿Conmigo
tan grossero atrevimiento?   1960
LUCRECIA. ¡Justicia de Dios!
LEONARDO.   Teneos.
ANA. ¿Ay excessos más estraños?
MENDO. A pesar de tus engaños
he de lograr mis deseos.

[ESCENA XVI]

(*Salen el* DUQUE *y* DON JUAN, *de cocheros; sacan las espadas y dan sobre ellos.*—[DICHOS.])

DUQUE. [*A* D. JUAN.]
La vengança nos combida.—   1965
ANA. ¿Dónde están mis escuderos?
Vendido me han los cocheros.
DUQUE. Por vos, señora, la vida
vuestros cocheros darán.
MENDO. ¿A don Mendo os atrevéis,   1970
viles?
LEONARDO.   Cocheros, ¿qué hazéis?
¡Que es don Mendo de Guzmán!
A vuestro coche os bolved.
MENDO. Furias del infierno son.

LUCRECIA. ¡Qué pena!
ANA.   ¡Qué confusión!   1975

(*Retíranse* DON MENDO [*y* LEONARDO], *y el* DUQUE *y* DON
JUAN *van tras ellos.*)

                ¡Cocheros, tened, tened!   (*Vase.*)

ACTO TERCERO

[*Sala en casa de* DOÑA ANA, *en Madrid.*]

[ESCENA I]

(*Salen* DOÑA ANA *y* CELIA; *el* DUQUE *y* DON JUAN; *todos
como acabaron la segunda* [*jornada*].

ANA.   ¿No advertís lo que avéis hecho?
                ¿Cómo tan despacio estáis?
DUQUE.   Por nosotros no temáis:
                quietad el hermoso pecho;   1980
                    pues, con probar la violencia
                que intentó aquel cavallero,
                en nuestro favor espero
                que tendremos la sentencia.
                    Y por su reputación   1985
                le estará más bien callar:
                no penséis que ha de tratar
                de tomar satisfación
                    por justicia un cavallero.
                ¿No veis lo mal que sonara   1990
                que herido se confessara
                del braço vil de un cochero
                    un tan ilustre señor,
                dueño de tantos vassallos?

Destos casos el callallos   1995
es el remedio mejor.

ANA.   Siéntome tan obligada
de vuestro valor estraño,
que el temor de vuestro daño
toda me tiene turbada.   2000

DUQUE.   No temáis.

ANA.   El pecho fiel
el daño está previniendo.

DUQUE.   Quien pudo herir a don Mendo
podrá defenderse dél.

CELIA.   (*A* DOÑA ANA *al oído.*)
En hablar tan cortesanos,   2005
tan valientes en obrar,
mucho dan que sospechar
estos cocheros.

ANA.   (*A* CELIA *al oído.*)
Las manos
les mira, que la verdad
nos dirán.

CELIA.   Es gran razón   2010
pagalles la obligación
que tienes a su lealtad,

(Toma las manos al DUQUE, *y buélvese a hablar aparte a*
Doña ANA.)

pues por estas manos queda
tu honestidad defendida.—

(*Aparte las dos.*)
¡Ay, señora de mi vida!   2015
Blandas son como una seda
y, en llegando cerca, son
sus olores soberanos.

ANA.   [*Ap. a* CELIA.]
¿Buen olor y buenas manos?

        Clara está la información.   2020
        Dissimula.

(Don Juan *se está escondiendo detrás del* Duque.)

CELIA.   [*Ap.*]   El otro está
        siempre cubierto y callado.

(*Va* CELIA *por detrás de todos a coger de cara a* DON
JUAN.)

        Cogerélo descuidado,
        pues la aurora alumbra ya
        lo que basta a conocello.   2025

ANA.   Amigos, puesto que assí
        os arresgastes por mí
        sin obligación de hazello,
        desta casa y de mi hazienda
        os valed.

DUQUE.   Los pies [os] beso,   2030
        mas yo no passo por esso;
        que no es razón que se entienda
        que fué sin obligación
        el serviros; pues de un modo
        se la pone al mundo todo   2035
        vuestra rara perfección.
        Porque a quien os llega a ver,
        dais gloria tan sin medida,
        que aunque os pague con la vida,
        os queda mucho a dever.   2040

(*Sale* Don Juan [*de detrás del* Duque.])

CELIA.   [*A* Don Juan.]
        Y vos, ¿sois mudo, cochero?
        ¿De qué estáis triste? Bolved,
        alçad el rostro, aprended
        ánimo del compañero.

2027 V. v. 131 y 2444.

| |
| |

    El que riñó sin temer,   2045
    ¿teme sin reñir agora?

DUQUE.   En vano os cansáis, señora;
    que es mudo.

CELIA.   Bien puede ser.
    (*Ap.*) Mas yo don Juan de Mendoça
    pienso que es... El es: ¿qué dudo?   2050
    El triste se finge mudo
    por no perder lo que goza
    mientras encubierto está.—
    ¿Quién dirá[s], señora, que es
    el callado? [*Ap. a ella.*]

ANA.   Dilo pues.   2055

CELIA.   ¿Quién piensas tú que será?

ANA.   No lo sé.

CELIA.   ¿Quién puede ser
    quien, siendo gran cavallero,
    quisiesse ser tu cochero
    sólo por poderte ver?   2060
        ¿Quién el que, con tal valor
    en un lance tan estrecho,
    pusiesse a la espada el pecho
    por assegurar tu honor?
        ¿Quién el que en penar se goza   2065
    por tu amor, y tu desdén
    sigue enamorado? ¿Quién
    sino don Juan de Mendoça?

ANA.   Bien dizes: sólo él haría
    finezas tan estremadas.   2070

CELIA.   Bien merecen ser premiadas.

ANA.   Que no las pierde, confía.—

DUQUE.   El sol sale, porque vos
    —que sol al mundo avéis sido
    en tanto que él ha dormido—   2075

14

	reposéis agora. Adiós,
	y, assí los cielos, que os dan
	belleza os den larga vida,
	que no os inquiete la herida
	de don Mendo de Guzmán. (*Vase.*) 2080
ANA.	Tras la ofensa que ha intentado,
	no ay por qué inquietarme pueda';
	que ni aun la ceniza queda
	en mí del amor passado.—
	Detén a don Juan, que quiero 2085
	hablalle.
CELIA.	A servirte voy.
ANA.	Y mientras con él estoy,
	entretén al compañero.
CELIA.	[*A* D. JUAN, *que se retiraba siguiendo*
	al DUQUE.]
	Señor cochero fingido,
	mi dueño os llama: esperad. 2090
JUAN.	¡Un!...
CELIA.	No hay *un*: bolved y hablad,
	que ya os hemos conocido. (*Vase.*)

[ESCENA II]

[DOÑA ANA y DON JUAN.]

JUAN.	Esso devo a mi ventura'.
ANA.	¿Qué es esto, don Juan?
JUAN.	Amor.
ANA.	Locura, dirás mejor. 2095
JUAN.	¿Quándo amor no fué locura?
ANA.	Sí; mas los fines ignoro
	destos disfrazes que veo.

2091 Hartzenbusch pone: *Hum,* el ruido del mundo.

JUAN.	Assí miro a quien deseo;
	assí sirvo a quien adoro. 2100
ANA.	No; traidoras intenciones
	encubren estos disfrazes.
JUAN.	Falsas conjeturas hazes
	por negar obligaciones.
ANA.	El provarte lo que digo, 2105
	no es difícil.
JUAN.	Ya lo espero.
ANA.	¿Quién es esse cavallero
	y a qué fin viene contigo?
	Traer quien me diga amores,
	y escuchallos escondido, 2110
	¿podrás dezir que no ha sido
	con pensamientos traidores?
JUAN.	¡Quán lejos del blanco das!
	Que, si traidores los llamas,
	la mayor fineza infamas 2115
	que ha hecho el amor jamás.
ANA.	Dila, pues; que a agradecella,
	si no a pagalla, me obligo.
JUAN.	Por obedecer la digo,
	no por obligar con ella. 2120
	Como mi mucha afición
	y poco merecimiento
	engendró en mi pensamiento
	justa desesperación,
	vino amor a dar un medio 2125
	en desventura tan fiera,
	que a mi mal consuelo fuera,
	ya que no fuera remedio;
	y fué que te alcanze quien
	te merezca: tu bien quiero; 2130

que el efecto verdadero
es éste de querer bien.
   A este fin tus partes bellas
al duque Urbino conté,
si contar possible fué   2135
en el cielo las estrellas.
   Él, de tu fama movido,
de tu recato obligado,
este disfraz ha ordenado,
con que te ha visto y oído.   2140
   Y oxalá que, conociendo
tu sugeto soberano,
dé, con pretender tu mano,
efecto a lo que pretendo;
   que yo, con verte en estado   2145
igual al merecimiento,
al fin quedaré contento,
ya que no quede pagado.
   Esta ha sido mi intención;
y si escuchava escondido,   2150
fué porque el ser conocido
no estorvasse la invención.
   Que juzgues agora quiero
si he merecido o pecado,
pues de puro enamorado   2155
vengo [a] servir de tercero.

ANA.   Tu voluntad agradezco,
pero condeno tu engaño;
que presumes, por mi daño,
más de mí que yo merezco.   2160
   Porque no es a la excelencia
del Duque igual mi valor;
que no engaña el propio amor
donde ay tanta diferencia.

Fué mi padre un cavallero   2165
ilustre; mas yo imagino
que pensara honrarle Urbino
si lo hiziera su escudero.
Y, assí, a tan locos intentos
tus lisonjas no me incitan;   2170
que afrentosos precipitan
los sobervios pensamientos.

JUAN.   Mucho, señora, te ofendes,
porque, sin tu calidad,
digna es por sí tu beldad   2175
de más bien que en esto emprendes.
No te merece gozar
el Duque, ni el Rey, ni...

ANA.   Tente:
la fiebre de amor ardiente
te obliga a desatinar.   2180
Tu amoroso pensamiento
encarece mi valor:
¡diérasle al Duque tu amor,
que yo le diera tu intento!

JUAN.   ¿Quién podrá quererte menos   2185
en viendo tu perfección?

ANA.   Al fin, por tu coraçón
quieres juzgar los agenos;
y es engaño conocido
que, si el tuyo por mí muere,   2190
no con una flecha yere
todos los pechos Cupido.
Y aunque el Duque tenga amor,
galán querrá ser, don Juan:
y honra más que un rey galán,   2195
un marido labrador.
Y aunque en el Duque es forçosa

la ventaja que le doy,
grande para dama soy,
si pequeña para esposa.   2200

JUAN.   Nadie con tal pensamiento
ofende tu calidad.

ANA.   De mi consejo, dexad
de terciar en esse intento;
porque mayor esperança   2205
puede, al fin, tener de mí
quien pretende para sí,
que quien para otro alcança.   (*Vase.*)

[ESCENA III]

[DON JUAN.]

JUAN.   ¿Possible es que tal favor
merecieron mis oídos?   2210
¡Dichosos males sufridos!
¡Dulces vitorias de amor!
"Que tendrá más esperança
—dixo, si bien lo entendí—
quien pretende para sí,   2215
que quien para otro alcança."
Que la pretenda mi amor
me aconseja claramente;
y la muger que consiente
ser amada, haze favor.   2220

2200 *Los Pechos privilegiados,* I, 7, v. n. 49-50:

"Que si con tal sangre y fama
para esposa me juzgó
pequeña, me tengo yo
por grande para su dama."

(Rivad., XX, 417 *c.*)

[ESCENA IV]

(*Sale* BELTRÁN.—[DON JUAN.])

BELTRÁN.	Mira que el Duque te espera
	y no el padre de Faetón,
	que a publicar tu invención
	apressura su carrera.
JUAN.	En cas de mi amada bella
	son los años puntos breves.
BELTRÁN.	En la taberna no beves,
	pero te huelgas en ella.
JUAN.	Bien lo entiendes.
BELTRÁN.	Alegría
	vierten tus ojos, señor.
JUAN.	Hazen fiestas a un favor.
BELTRÁN.	Mucho alcança la porfía.

2225

2230

[ESCENA V]

(*Sale* CELIA.—[DON JUAN y BELTRÁN.])

JUAN.	Celia amiga, Dios te guarde.
CELIA.	Y te dé el bien que deseas.

2222 El sol no te espera.

2225 V. *Gramática de la Lengua Castellana destinada al uso de los americanos,* por don Andrés Bello, con notas de Rufino José Cuervo (París, 1907), pág. 230, n., sobre la apócope. *cas* por *casa,* que aún se usa en la lengua popular de América.—V. también R. J. Cuervo, *Apuntaciones críticas al lenguaje bogotano* (París, 1907), pág. 332, donde trae ejemplos de Castillejo y Tirso.

Añádanse: Quevedo, *Carta de la Perola a Lampuga:*

"En *cas* del padre nos fuimos..."

y *Respuesta:*

"... en San Lúcar fuí huésped
en *cas* de su Magestad."

JUAN.	Como de mi parte seas,	2235
	no ay ventura que no aguarde.	
CELIA.	Si en mi mano huviera sido,	
	tu dicha fuera la mía;	
	mas, don Juan, sirve y porfía,	
	que no va tu amor perdido.	2240

(*Vase* DON JUAN.)

[ESCENA VI]

[CELIA y BELTRÁN.]

BELTRÁN.   Y a mí ¿me aprovecharía
el servir como a mi amo?
CELIA.   Pues ¿amas también?
BELTRÁN.   Yo amo
por sólo hazer compañía.

[ESCENA VII]

(*Sale* DOÑA ANA.—[DICHOS.])

ANA.   [*Ap.*] Celia está con el criado   2245
de don Juan, y no sossiego
hasta hablalle; ya está el fuego
en mi pecho declarado.—
CELIA.   [*Ap. a* BELTRÁN.]
Mi señora.
BELTRÁN.   Voyme.—
ANA.   Hidalgo,
bolved. ¿Quién sois?
BELTRÁN.   Soy Beltrán,   2250
un criado de don Juan
de Mendoça.
ANA.   ¿Queréis algo?

BELTRÁN.   Servirte sólo quisiera.
Aquí a Celia le dezía
que amo por compañía.   2255

ANA.   No es conclusión verdadera.
¿Satirizas?

BELTRÁN.   No conviene;
que esso puede sólo hazer
quien no tiene qué perder
o qué le digan no tiene.   2260

Pero yo, ¿cómo querías
que predique sin ser santo?
¿Qué faltas diré, si ay tanto
que remediar en las mías?

ANA.   Tu gusto desacreditas   2265
con essa cuerda intención,
porque a la conversación
la mejor salsa le quitas.

BELTRÁN.   Si ella es salsa, es muy costosa,
señora; que, bien mirado,   2270
ni ay más inútil pecado,
ni falta más peligrosa.

Después que uno ha dicho mal,
¿saca de hazerlo algún bien?
Los que le escuchan más bien,   2275
essos lo quieren más mal.

Que cada qual entre sí
dize, oyendo al maldiciente:
"Éste, quando yo me ausente,
lo mismo dirá de mí."   2280

Pues si aquel de quien murmura
lo sabe, que es fácil cosa,
¿qué mesa tiene gustosa?
¿qué cama tiene segura?

Viciosos ay de mil modos   2285

que no aborrecen la gente,
y sólo del maldiciente
huyen con cuidado todos.
    Del malo más pertinaz
lastima la desventura;   2290
solamente al que murmura
lleva el diablo en haz y en paz.
    En la corte ay un señor,
que muchas vezes oí...
[*Ap.*] Esto encaxa bien aquí   2295
para quitarle el amor—
    que está malquisto de modo,
por vicioso en murmurar,
que si lo vieran quemar
diera leña el pueblo todo.   2300
    ¿No conoces a don Mendo
de Guzmán?

2286 El sujeto de esta frase puede ser "viciosos", y
entonces el verbo en plural nada tiene de anómalo; pero
el paralelismo con la frase siguiente indica que aquí el
sujeto es "gente", y entonces tenemos un verbo plural
para un sujeto singular. "Esta irregularidad se encuentra
cuando el sujeto es un colectivo", explica F. Hanssen en
su *Gramát. Hist. de la Leng. Cast.* (1913), n. 484; "el
castellano antiguo procede con mucha libertad." Pero después añade esta regla, de que el caso actual es excepción:
"Con '*gente*', 'número', 'multitud', 'infinidad', 'pueblo',
no se combina el plural del verbo en la misma proposi-
ción, pero se halla en proposiciones dependientes." Bien
es cierto que en el caso del v. 2286 parece haber obrado
también la tendencia a concordar con el predicado "viciosos", muy propia de la lengua. V. Hanssen, n. 487.

2292 V. Covarrubias, *Tesoro*, 1611, fol. 463 v: "En
haz y en paz de todos se fué desta tierra Fulano: como
si dixera, con gusto de todos, que lo vieron y lo consin-
tieron."

ANA.   Beltrán, detente:
          el vicio del maldiciente
          has estado maldiciendo,
              ¿y con tal desenvoltura   2305
          de don Mendo has murmurado?
BELTRÁN. Pienso que es exceptuado
          murmurar del que murmura.
              Dizen que el que hurta al ladrón
          gana perdones, señora.)   2310
ANA.   Dizen mal. Vete en buen hora.
BELTRÁN. Da a mi ignorancia perdón
          si acaso te ha disgustado.
          [Ap.] Mal dissimula quien ama.—

                    [ESCENA VIII]

                [DOÑA ANA y CELIA.]

CELIA.   Apagado se ha la llama,   2315
          mas mucha brasa ha quedado.
              Pues su ofensa te ofendió,
          sin duda que en tu memoria
          ha borrado amor la historia
          que esta noche te passó.   2320

2310 Alarcón, *El semejante a sí mismo*, III, 6 (Rivad.,
XX, pág. 76 c):

          "Es parlar sin murmurar
          lo que beber sin luquete",

dice el gracioso.
     Ambos pasajes tienen alguna semejanza entre sí.
2310 Cien años ha de perdón.
2314 *Los favores del mundo*, I, 7:

     "HERNANDO. Mal dissimula quien ama."

ANA.   Celia, ten: cierra los labios;
          mira que mi honor ofendes,
          quando de mi pecho entiendes
          que olvida assí sus agravios.
              No los males he olvidado   2325
          que ha dicho de mí don Mendo;
          la infame hazaña estoy viendo
          que oy en el campo ha intentado,
              en que claramente veo,
          pues tan poco me estimava,   2330
          que engañoso procurava
          sólo cumplir su deseo:
              con que ya en mi pensamiento
          no sólo el fuego apagué,
          pero quanto el amor fué   2335
          es el aborrecimiento.
              Mas esto no da licencia
          para que un baxo criado,
          de hombre tan calificado
          hable mal en mi presencia;   2340
              que no por la enemistad
          que entre dos nobles empieza,
          pierden ellos la nobleza,
          ni el villano la humildad.
              Esto, Celia, me ha obligado   2345
          a indignarme con Beltrán;
          que no porque ya don Juan
          no esté solo en mi cuidado.
CELIA.   ¿Al fin su fe te ha vencido?
ANA.   Con lo que anoche passó,   2350
          quanto don Mendo baxó,
          él en mi rueda ha subido.

2330 En la princeps, *tampoco*.

CELIA.	¿Declarástele tu amor?
ANA.	¿Tan liviana me has hallado?

¿No basta averle mostrado   235
resplandores de favor?

CELIA.   ¡Liviana dizes, después
de dos años que por ti
ha andado fuera de sí!
Bien parece que no ves   2360
    lo que en las comedias hazen
las infantas de León.

ANA.   ¿Cómo?

CELIA.   Con tal condición
o con tal desdicha nacen,
    que, en viendo un hombre, al momento 2365
le ruegan y mudan trage,
y, sirviéndole de page,
van con las piernas al viento.

    Pues tú, que obligada estás
de tanto tiempo y fe tanta   2370
(si bien señora, no infanta),
honestamente podrás
    dezirle tu voluntad
con prevenciones discretas,
sin temer que a los poetas   2375
les parezca impropiedad.

ANA.   ¿Poco a poco no es mejor?

CELIA.   ¿Tú quiéreslo?

ANA.   Celia, sí.

2368 En el prólogo he hablado de esta alusión a Lope,
Los Donaires de Matico, primera parte (1604), donde Matico el rústico es Juana, infanta de León, disfrazada para
seguir a su amante, el hijo del Rey de Navarra, que la ha
abandonado. Compárese este pasaje de *Las Paredes oyen*
con *Quién engaña más a quién,* II, 6, v. n. 81-88.

Celia.	¿Sabes que él muere por ti?
Ana.	Bien cierta estoy de su amor.

2380

Celia.	Pues quando de essa verdad

  ay certidumbre, yo hallo
  más crueldad en dilatallo
  que en dezillo liviandad;
   que el tiempo sirve de dar   2385
  del amor información,
  y es necia la dilación
  si no queda qué probar.

Ana.	El sugetarme es forçoso,

  Celia, a tu agudeza estraña.   2390

Celia.	Es verdad que es poca hazaña

  persuadir a un deseoso.   (*Vanse.*)

[*Sala en casa de* Don Mendo, *en Madrid.*]

[ESCENA IX]

(*Sale* Don Mendo, *con vanda, sin espada, y el* Conde.)

Mendo.	"Mis cocheros me han vendido"

  dixo mi enemiga apenas,
  quando en espadas y dagas   2395
  truecan açotes y riendas;
  y como animosos, mudos,
  indicio de su fiereza
  (que da el valor a los pechos
  lo que les quita a las lenguas),   2400
  embistieron dos a dos
  con tal ímpetu y violencia,
  que pensé, viendo el excesso
  de su valor y sus fuerzas,
  que, transformado en cochero   2405
  Jove por mi ingrata bella,

vibrava rayos ardientes
para vengar sus ofensas.
Porque sus valientes golpes
eran tantos, que no suenan   2410
en la fragua de Vulcano
los martillos tan apriessa.
Al fin, primo (que a vos solo
puedo confessar mi afrenta),
la espada de un hombre humilde   2415
pudo herirme en la cabeza;
y tanta sangre corría,
con ser la herida pequeña,
que, cegándome los ojos,
puso fin a la pendencia.   2420
Bolví a curarme a Alcalá
que estava a quarto de legua,
más con rabia de la causa,
que del efecto con pena.
Esto ha podido en doña Ana   2425
una mal fundada quexa,
y éste es el premio que traigo
de celebrarla en las fiestas.

CONDE.   ¡Ay suceso más estraño!
            ¿Y avéis sabido quién eran   2430
            cocheros tan valeros[os]?

MENDO.   Como se va con cautela
            procurando, por mi honor,
            que el sucesso no se sepa,
            no es averiguarlo fácil;   2435
            mas yo tengo una sospecha:
            que siempre estas viudas moças,
            hipócritas y santeras,
            tienen galanes humildes
            para que nadie lo entienda.   2440

Tal valor en un cochero
los zelos no más lo engendran;
que nunca assí por leales
los hombres baxos se arriesgan.
Esto se viene rodado;   2445
que si no, no lo dixera;
que ya sabéis que no suelo
meterme en vidas agenas.

CONDE.   [*Ap.*] ¡Assí tengas la salud!—
No vengo en essa sospecha.   2450
El enojo os precipita
contra tan honradas prendas;
y no es justo hablar assí
de quien puede ser que sea
vuestra esposa.

MENDO.   . Ya he perdido   2455
la esperança y la paciencia.

CONDE.   ¿Tan presto?

MENDO.   Bolverme quiero
a mi constante Lucrecia.

CONDE.   [*Ap.*] ¡Malas nuevas te dé Dios!—
Indicios dais de flaqueza.   2460
Si doña Ana está engañada,
procurad satisfazerla.

MENDO.   Niega a mi voz los oídos.

CONDE.   Entrad y habladla por fuerça;
porque quien el dueño ha sido,   2465
siempre tiene essa licencia,
mientras no se satisfaze
de que es la mudança cierta.

2444 V. v. 131 y 2027.
2459 *Los Favores del mundo*, I, 7:

"ANARDA. Malas nuevas te dé Dios."

	Quiçá enojada os castiga,	
	y no os despide resuelta.	2470
	O dezid vuestras disculpas	
	en un papel.	
MENDO.	Yo lo hiziera,	
	si huviera de recebillo.	
CONDE.	Yo me obligo a que lo lea.	
MENDO.	¿Cómo?	
CONDE.	Dádmele; que yo	2475
	lo pondré en sus manos mesmas.	
MENDO.	Al punto voy a escrivir. *(Vase.)*	

[ESCENA X]

[*El* CONDE.]

CONDE.   (*Ap.*) Y yo a pedir a Lucrecia
que me cumpla su palabra,
pues ha visto sus ofensas;
que, pues con doña Ana vino   2480
de Alcalá en un coche, es fuerça
que viera lo que has contado,
y su desengaño viera.
Y este papel ha de ver,   2485
para que negar no pueda;
que modo avrá de escusarme
quando don Mendo lo sepa.
Y consiga yo mi intento,
suceda lo que suceda;   2490
que no mira inconvenientes
el que ciega amor de veras.   *(Vase.)*

[*Sala en casa del* DUQUE, *en Madrid.*]

[ESCENA XI]

(*Salen* DON JUAN *y* BELTRÁN.)

BELTRÁN.   Qué ¿llegó el tiempo?
JUAN.   Llegó
el fin de las ansias mías.
BELTRÁN.   ¡Gracias a Dios que en mis días   2495
un milagro sucedió!
¿Que a doña Ana le das pena?
¿Que olvida al Guzmán Narciso?
Este es el tiempo que quiso
ver el Marqués de Villena.   2500
Es verdad que de cada año
lo mismo dezir he oído;

2500 Don Enrique de Aragón, o de Villena (1384-1434), a quien suele llamarse impropiamente marqués de Villena, personaje extravagante y autor de libros en prosa latinada y difícil: *Arte de trobar, Arte cisoria, Libro de Aojamiento, Tratado de la Consolación, Libro de la guerra,* etc. Tuvo fama de nigromántico, y sus obras fueron quemadas. En torno a su vida se creó una leyenda, según la cual, a su muerte, "dispuso que le picasen y convirtiesen en jigote" y le encerrasen en una redoma de vidrio, de donde sólo saldrá el año en que el mal desaparezca del mundo. V. Fernán Pérez de Guzmán, *Generaciones y semblanzas,* XXVIII; Quevedo, *Visita de los chistes* (Rivad., XXIII, 339); íd., *El Mundo por de dentro* (íd., pág. 330): Rojas, *Lo que quería ver el Marqués de Villena;* y también *La Cueva de Salamanca,* del mismo Alarcón.—Consúltese sobre esta leyenda a S. M. Waxman, *Chapters on Magic in Spanish Literature,* cap. III: "Enrique de Villena, the magician" (*Revue Hispanique,* 1916, XXXVIII, págs. 387-438).

          pero ¡viene aquí nacido
          con sucesso tan estraño!
          ¿Que te quiere bien?

JUAN.   Sin duda: 2505
          ya lo dixo claramente,
          y un ángel, Beltrán, no miente.

BELTRÁN. Todo en efeto se muda,
          pues algún tiempo, averiguo
          que fué ya la calva hermosa.   2510
          Jamás el tiempo reposa:
          ¿no dize un romance antiguo:
          "Por mayo era, por mayo,
          quando los grandes calores,
          quando los enamorados   2515
          a sus damas llevan flores"?
          Pues ¿ves? aquí se ha passado
          a setiembre ya el calor.
          Pero sospecho, señor,
          que tú también te has mudado.   2520
          ¿De qué tal melancolía
          te ha cargado en un instante?
          Tahur parece el amante,
          pues no dura su alegría.
          Pero advierte que es flaqueza.   2525

JUAN.   Déxame con mi aflicción.

BELTRÁN. ¿Ello importa a la invención,
          señor? Pues va de tristeza.

2513 V. Durán, *Romancero general,* II (Rivad., XVI,
pág. 449 *b*).

2528 V. Alarcón, *La Prueba de las promesas,* III
(Rivad., XX, 444 *c*):

    "Harélo, pues, si supiere.
    Va de encanto..."

JUAN.   Beltrán, la mudança mía
             en mudarse todo está;   2530
             que también se mudará
             la causa de mi alegría.
                 Que adora assí su beldad
             el duque Urbino, que creo
             que, por lograr su deseo,   2535
             perderá la libertad.
BELTRÁN.   ¿Que se case temes?
JUAN.   Sí.
BELTRÁN.   Pues si tu querida alcança
             de vista aquessa esperança,
             bien pueden doblar por ti;   2540
                 que por llamarse Excelencia,
             ¿qué no hará una muger?
JUAN.   Esso me obliga a perder
             la esperança y la paciencia.
BELTRÁN.   Pues al remedio, señor.   2545
JUAN.   Dilo tú, si alguno ves.
BELTRÁN.   Si él ama assí, no lo es
             el declaralle tu amor.
                 Mas, pues que tu amada bella
             contigo está declarada,   2550
             antes que él la persuada
             cásate, señor, con ella.
JUAN.   ¿Cómo la podré obligar
             tan brevemente?
BELTRÁN.   Fingiendo
             que la herida de don Mendo   2555
             se ha sabido en el lugar,
                 y con esto el vulgo toca
             en la opinión de doña Ana;
             que tengo por cosa llana
             que, por taparle la boca,   2560

si se ha de determinar
tarde, que quiera temprano
darte de esposa la mano.
Con esto puedes mostrar
un desconfiado pecho   2565
con rezelos de su fe,
por que la mano te dé
para verte satisfecho.
          Que pues dize claramente
que te quiere, y tú la quieres,   2570
o ha de hazer lo que quisieres,
o ha de confessar que miente.

JUAN.   Al jardín irá esta tarde;
allí la tengo de ver
y seguir tu parecer.   2575

BELTRÁN. Nunca ha vencido el cobarde.
          El Duque es éste.

[ESCENA XII]

(*Salen el* DUQUE *y* FABIO, *su criado.*—[DICHOS.])

JUAN.   ¿Señor?
DUQUE.   Don Juan amigo, yo muero...
JUAN.   ¿Cómo?
DUQUE.   En un combate fiero
de zelos, desdén y amor.   2580
          Al ingrato como bello
ángel que adoro, escriví
oy un papel...
JUAN.   (*Ap.*)   ¡Ay de mí!—
DUQUE.   Y no ha querido leello.
JUAN.   (*Ap.*) El alma al cuerpo me ha buelto.— 2585
          Pues ¿cómo tanto rigor?

DUQUE.	Nacido es de ageno amor
	un disfavor tan resuelto.
JUAN.	Yo a ser amada atribuyo
	el mostrarse tan ingrata.

2590

DUQUE.	Quando el efeto me mata,
	sobre la causa no arguyo.
	Lo que es cierto es que yo muero.
	Vos, don Juan, me aconsejad.
JUAN.	De tan resuelta crueldad

2595

	la mudança desespero.
	Dexallo es mi parecer,
	antes que crezca el amor.
DUQUE.	Ya no puede ser mayor.
JUAN.	Pues amar y padecer.

2600

[ESCENA XIII]

(*Sale* MARCELO, *criado del* DUQUE.—[DICHOS.])

MARCELO.	¿Puedo hablarte?
DUQUE.	Sí, Marcelo.
MARCELO.	Dame albricias.
DUQUE.	Tu tardança
	me mata.
MARCELO.	Ya tu esperança
	ha hallado puerta en tu cielo.
	Oy va tu dueño cruel

2605

	al jardín, y un escudero
	(que esto ha podido el dinero)
	quiere darte entrada en él.
DUQUE.	Abráçame.
BELTRÁN.	[*Ap.*] ¡Qué doblones!—
DUQUE.	¿No iréis conmigo, don Juan?

2610

JUAN.   Señor, los que solos van
          gozan bien las ocasiones.
DUQUE.   Bien dezís. Vedme después
          que se esconda el sol dorado;
          sabréis lo que me ha passado.   2615
              (*Vase* [*y los dos criados con él.*])
JUAN.   ¡Mal aya el vil interés,
              por quien ni honor ni opinión
          podemos assegurar!
BELTRÁN. Lo que importa es madrugar
          y hurtalle la bendición.   (*Vanse.*)   2620

          [*Jardín en Madrid.*]

          [ESCENA XIV]

          (*Salen el* CONDE *y* LUCRECIA.)

CONDE.   ¿Negarás, señora mía,
          la palabra que me diste?
LUCRECIA. Yo no la niego.
CONDE.   ¿Y que viste,
          quando doña Ana venía
          de Alcalá, tu desengaño?   2625
LUCRECIA. Esso tampoco te niego;
          mas, aunque se apagó el fuego,
          quedan reliquias del daño.
CONDE.   Pues por que arrojes del pecho
          las cenizas que han quedado,   2630
          mira el papel que me ha dado
          don Mendo, de amor deshecho,

2620 "Hurtar la bendición", puede aludir al episodio
bíblico de Jacob, que, bajo el disfraz de Esaú, recibe de
Isaac la bendición que a éste se destinaba. (*Gén.,* XXVII.)

para aplacar el rigor
de doña Ana de Contreras.
Si más agravios esperas,   2635
será baxeza y no amor.

         (*Dale un papel, y lee* LUCRECIA.)

[LUCREC.]   (*Papel.*) "El que sin oír condena,
oyendo ha de condenar;
y esto me obliga a pensar
que es sin remedio mi pena.   2640
Ya que el cielo assí lo ordena,
dadme sólo un rato oído,
que, si culpado lo pido,
para más pena ha de ser:
sino que os daña saber   2645
que jamás os he ofendido."

CONDE.   ¿Conoces la letra?
LUCRECIA.   Sí.
CONDE.   ¿Ves tu engaño?
LUCRECIA.   Ya lo veo,
Conde, y pagarte desseo
lo que padeces por mí;   2650
que, demás de que premiarte
es justo tan firme fe,
gusto a mi padre daré,
que es en esto de tu parte.
     Hazme gusto de esconderte   2655
por el jardín: no te vea
mi prima.
CONDE.   El alma dessea
por gloria el obedecerte.   (*Vase.*)

[ESCENA XV]

(*Salen* Doña Ana *y* Celia.—[Lucrecia.])

Celia.	[*A su ama.*] ¿Que de essa manera estás?
Ana.	Después que estoy declarada, 2660
	quanto más resistí elada
	tanto voy ardiendo más.
	¡Quién detrás deste arrayán
	súbitamente lo hallara!
Celia.	"¡Ay, Celia, y qué mala cara 2665
	y mal talle de don Juan!"
	¿Ves lo que en un hombre vale
	el buen trato y condición?
Ana.	Tanto, que ya en mi opinión
	no ay Narciso que le iguale.— 2670
	Prima, ¿qué es esso que lees?
Lucrecia.	Un villete de don Mendo,
	y mostrártelo pretendo,
	por si sus promessas crees.
Ana.	Ni lo escucho ni le creo: 2675
	bien puedes vivir segura.
Lucrecia.	* (*Da el papel a* Doña Ana, *y ella se pone a leello.*) ¡No le dé Dios más ventura
	de la que yo le desseo!
	Sólo pretendo que dél
	entiendas lo que te quiere. 2680
	(*Ap.*) Haréle el mal que pudiere,
	pues da ocasión el papel.—

2665-6 Cfr. v. 195-196.
* La princeps, Celia.
2672 Lucrecia finge que el papel es para ella, aunque
sabe que es para doña Ana (v. n. 2633-4). Así lo cree doña
Ana, y así lo dice a don Juan (v. n. 2702).

[ESCENA XVI]

[Don Juan.—Dichas.]

CELIA.   (*Ap.*) Llega atrevido y dichoso.—
             (Don Juan *se llega por un lado a* Doña Ana.)

JUAN.   (*Ap.*) Un papel está leyendo,
             y es la letra de don Mendo.—   2685
             ¿Tendrá licencia un zeloso,
                 a quien tu dueño has llamado,
             para ver esse papel?

ANA.   Don Juan, si ha nacido dél
             esse zeloso cuidado,   2690
                 pide licencia primero
             a mi prima, y lo verás.

JUAN.   ¿Luego licencia me das
             de dezille que te quiero?

ANA.   Sí; que este lance es forçoso,   2695
             puesto que el alma te adora.

JUAN.   [*A* Doña Lucrecia.]
             Dadme licencia, señora,
             por amante o por zeloso,
             para ver este papel.

LUCRECIA. Mi gusto en doña Ana vive.   2700

ANA.   Agora sabe que escrive
             don Mendo a Lucrecia en él.

JUAN.   ¿Don Mendo a Lucrecia?

ANA.   Sí:
             dezirlo puede mi prima.

JUAN.   Si tanto tu gusto estima,   2705
             mas que esso dirá por ti;
                 pero aquí el mismo papel
             es bien que el testigo sea.

LUCRECIA. Satisfazerme dessea,
y audiencia me pide en él. 2710

           (*Toma* DON JUAN *el papel y lee.*)

[JUAN.] (*Papel.*) "El que sin oír condena,
oyendo ha de condenar;
y esto me obliga a pensar
que es sin remedio mi pena.
Ya que el cielo assí lo ordena, 2715
dadme solo un rato oído,
que, si culpado lo pido,
para más pena ha de ser;
sino que os daña saber
que jamás os he ofendido." 2720

           (*Prosigue* DON JUAN.)

    Doña Ana ¿qué te ha obligado
a pretenderme engañar?
¿Qué te puedo yo importar
no querido y engañado?
    A ti vienen dirigidas 2725
las razones que he leído;
que sobre lo sucedido,
son palabras conocidas.

ANA.   Quando a mí venga el papel,
¿da gracias de algún favor, 2730
o quexas de mi rigor?
Luego te obligo con él.

JUAN.   Mejor modo de obligar
fuera no averlo leído,
que quien escucha ofendido, 2735
no huye de perdonar.
    ¿Ageno papel recibes
quando mía te has nombrado?
o poco me has estimado
o livianamente vives: 2740

de donde he ya conocido
que vivir me está más bien
desdichado en tu desdén,
que en tu favor ofendido.　　　　2745
　　Yo me iré donde jamás
pueda otra vez engañarme
tu favor.

ANA. 　　　　¿Quieres matarme,
señor?

JUAN. 　　　Suelta.

ANA. 　　　　　No te irás
sin oírme.—Prima mía,　　　　2750
ayúdamele a tener.

JUAN. Soltad.

LUCRECIA. 　　Ya es esto perder
la devida cortesía.

CELIA. 　　Don Mendo está en el jardín.

ANA. ¿Don Mendo?

CELIA. 　　　　　Por fuerça ha entrado.　2755

ANA. A coyuntura ha llegado,
que daré a tus zelos fin.
　　Los dos tras esse arrayán
os entrad, donde escondidos,
los ojos y los oídos　　　　2760
satisfación os darán.

JUAN. 　　Sola tu mano ha de ser
quien me tenga satisfecho.

ANA. 　Señor eres ya del pecho:
poco te queda que hazer.

(*Escóndense tras el dosel del vestuario* DON JUAN *y* LU-
CRECIA. *Entra* DON MENDO.)

[ESCENA XVII]

[Don Mendo.—Doña Ana; Lucrecia y Don Juan, *escondidos*; Celia, *retirada, cerca de ellos*.]

Mendo.   Ni quiero que me perdones   2765
    ni bolver quiero a tu gracia;
    y si tal pidiere, cierra
    el oído a mis palabras.
    Mis descargos solamente
    quiero que escuches, doña Ana,   2770
    por bolver por mi opinión,
    no por culpar tu mudança.
    Si al duque Urbino de ti
    dixe una noche mil faltas,
    fué temor de que en su pecho   2775
    engendrasse amor tu fama;
    porque don Juan de Mendoça
    contava tus alabanças,
    y a la pólvora de un moço
    la menor centella basta.   2780
    A tu prima le escriví
    mil agravios por tu causa,
    desengañando su amor
    y encareciendo tus gracias:
    si ella te ha dicho otra cosa,   2785
    presto verás que te engaña;
    que el traslado traigo aquí:
    oye sus mismas palabras.
                (*Lee* Don Mendo.)
    (*Papel.*) "Tu sentimiento encareces
    sin escuchar mis disculpas: 2790

2789 V. n. 1398.

quanto sin razón me culpas,
tanto con razón padeces.
Si miras lo que mereces,
verás cómo la passión
te obliga a que, sin razón,   2795
agravies, en tu locura,
con las dudas, la hermosura,
con los zelos, la elección.
    Lucrecia: de ti a doña Ana
ventaja ay más conocida   2800
que de la muerte a la vida,
de la noche a la mañana.
¿Quién a la hermosa Diana
trocará por una estrella?
Dexa la injusta querella,   2805
desengaña tus enojos;
que tengo un alma y dos ojos
para escoger la más bella."

                                      (Prosigue.)

[MENDO.]   Mira si más claramente
pude yo desengañarla: 2810
si ella lo entendió al revés,
en mí no estuvo la falta.

2812 Ovidio, *Ars Amandi*, II, aconseja al amante que
se consienta pequeñas infidelidades, con tal de que sepa
disimularlas, y, entre otras, le recomienda:

"Et quoties scribes, totas prius ipse tabellas
inspice: plus multae, quam sibi missa legunt."

El anterior episodio parece una escenificación del consejo de Ovidio, y conviene notar esta sutil manera de
influencias ovidianas en el teatro español, capítulo que
podría desarrollar el profesor Rudolph Schevill en sus
investigaciones sobre la materia.

Que quise en el campo usar
de fuerças, dirás. ¡Ha, ingrata!
Como a esposa lo intenté,   2815
si te ofendí como a estraña;
y delinquir en el campo
no fué mucho, si llevava
anticipado el castigo
con mil flechas en el alma.   2820
Tus quexas y mis disculpas
estas son: la furia amansa;
huya de tu hermoso cielo
la nube de tu desgracia;
que el cielo, el aire, la tierra   2825
son testigos de mis ansias:
no ay quien dude mis verdades
sino tú, que eres la causa.
Esta es mi mano de esposo;
y con disculpa tan clara,   2830
o no niegues mi firmeza,
o confiessa tu mudança.

LUCRECIA.   [*Ap.*] Aquí se casan sin duda.—
JUAN.   [*Ap.*] Aquí sin duda se casan.—
             ¿Saldré, Celia?
CELIA.   No la enojes   2835
quando te importa obligalla.

[ESCENA XVIII]

(*Sale el* DUQUE, *con* UN ESCUDERO, *y quédase escondido
el* DUQUE *a una parte del teatro tras el paño.*—[DI-
CHOS.])

ESCUDERO. [*Ap. al* DUQUE.]
             De aquí podéis aguardar
             a que don Mendo se vaya.   (*Vase.*)

ANA.   Don Mendo, yo te confiesso
que tu descargo es muy llano,   2840
y que con darme la mano
puede cerrarse el processo;
 pero tu intento no tiene
remedio; ya me has perdido,
y resuelto el ofendido,   2845
tarde la disculpa viene.
 Digo que fué la intención
con que hablaste mal de mí
al Duque, querer assí
librarme de su afición;   2850
 mas fué público el hablar,
la intención oculta fué.
Si por lo escrito juzgué,
no te me puedes quexar.
 Y agora te desengaña   2855
de quán malo es hablar mal,
pues con ser la causa tal
y el fin tan bueno, te daña:
 por el mal medio condeno
el buen fin: todo lo igualo;   2860
en que verás que lo malo,
aun para buen fin, no es bueno.
 Tu lengua te condenó
sin remedio a mi desdén.
A toda ley, hablar bien,   2865
que a nadie jamás dañó.
 Con esto, si eres discreto,
mudar intento podrás.

MENDO. ¿Resuelta en efeto estás?
ANA. Resuelta estoy en efeto.   2870
MENDO. Mira lo que dizes.
ANA.   Digo

que es vana tu prevención,
porque ésta, resolución
es, don Mendo, no castigo.

MENDO.   Ya lo que dize de ti   2875
la fama creer es justo;
que informa de tu mal gusto
el aborrecerme a mí.

Del cochero que me hirió
se habla mal, y mal sospecho,   2880
que tal brío en baxo pecho,
de tus favores nació.

ANA.   Tente, no me digas más.
Yo estorvaré mis afrentas:
por donde obligarme intentas,   2885
del todo me perderás.

El cochero que te hirió,
don Mendo, mostrarte quiero.—
Bien podéis salir, cochero.

[ESCENA XIX]

(Salen al teatro, y todos empuñan las espadas. [DON
JUAN *y* LUCRECIA *por un lado, y por otro el* DUQUE; *después,* BELTRÁN *y el* CONDE.—DOÑA ANA, DON MENDO, CE-
LIA.])

JUAN.   Yo soy el cochero.
DUQUE.   Y yo.   2890
ANA.   Cavalleros, deteneos;
que a mí esse daño me hazéis.
DUQUE.   Basta que vos lo mandéis.
JUAN.   Serviros son mis deseos.
ANA.   Estos los cocheros son   2895
por quien mi opinión se infama;
y por quitar a la fama

de mi afrenta la ocasión,
le doy la mano de esposa
a don Juan.

(Danse las manos.)

JUAN.   Y yo os la doy.   2900
CELIA.   ¡ Buena Pascua !
BELTRÁN.   ¡ Loco estoy !

(Empuña el DUQUE *contra* DON JUAN.)

DUQUE.   Vuestra amistad engañosa
castigaré.
JUAN.   Deteneos;
que yo nunca os engañé.
Recato y no engaño fué   2905
encubriros mis deseos;
que, si os queréis acordar,
sólo os tercié para vella,
y, en empeçando a querella,
os dexé de acompañar.   2910
ANA.   Y en fin, si bien lo miráis,
el dueño fuí de mi mano;
y sobre mi gusto, en vano
sin mi gusto disputáis.
A don Juan la mano di,   2915
porque me obligó diziendo
bien de mí, lo que don Mendo
perdió hablando mal de mí.
Este es mi gusto, si bien
misterio del cielo ha sido,   2920
con que mostrar ha querido
quánto vale el hablar bien.
MENDO.   Antes sospecho que fué
pena del loco rigor,
con que, por ti, el firme amor   2925
de tu prima desprecié.

Mas, con llorar mi mudança
y gozar su mano bella,
estorvaré su querella
y mi engaño y tu vengança.   2930

LUCRECIA.   ¿Quién os dixo que sustenta
hasta agora el alma mía
vuestra memoria?

BELTRÁN.   El hazía
sin la huéspeda la cuenta.

LUCRECIA.   Vos hablastes, pretendiendo   2935
a doña Ana, mal de mí.

MENDO.   ¡Yo a doña Ana mal de ti!

LUCRECIA.   *Las paredes oyen,* Mendo.

Mas, puesto que en vos es tal
la imprudencia, que queréis   2940
ser mi esposo, quando auéis
hablado de mí tan mal,
yo no pienso ser tan necia
que esposa pretenda ser
de quien quiere por muger   2945
a la misma que desprecia;
y, porque con la esperança
el castigo no aliviéis,
lo que por falso perdéis,
el Conde por firme alcança.—   2950
Vuestra soy.

                    (*Da la mano al* CONDE.)

MENDO.   ¡Todo lo pierdo!
¿Para qué quiero la vida?

CONDE.   Júzgala también perdida,
si en hablar no eres más cuerdo.

BELTRÁN.   Y pues este exemplo ven,   2955

2955-58 L. F. G., pág. 257, cita un manuscrito de la
biblioteca del Duque de Osuna—al parecer autógrafo, se-

> suplico a vuesas mercedes
> miren que *oyen las paredes,*
> y, a toda ley, hablar bien.

---

gún él—que ofrece curiosas variantes y en que la redondilla final dice así:

> "Y, pues que los daños ven
> de los necios maldicientes,
> sacratísimos oyentes,
> desta comedia hablad bien."

TABLA DE VARIANTES

en las ediciones de «La Verdad sospechosa», de 1850 (H.), de la Biblioteca «Rivadeneyra» (R.) y de Ed. Barry (B.).

Número del verso.	Ediciones.	Lecturas.
3	H. R. B.	¿Cómo *vienes?*
24	H. R. B.	Bueno, contento *y* honrado.
30	B.	Siempre él, señor licenciado.
44	H. R. B.	Plaza en *el* Consejo Real.
50	H. R. B.	se ha podido poner *ya,*
79	H. R. B.	mi hijo mayor, con que *en* él.
163	R. B.	Junto con que *es ya* mayor.
241	B.	Con un cuello *acanalado.*
280	H. R. B.	*ajar.*
385	H. R. B.	*Eso* d. c. d. s.
607	R. B.	de qué habláis? en qué...?
728	R. B.	*cazoletas.*
954	R. B.	que *ya es* forzoso.
1168	H. R. B.	en *el* habla.
1288	H. R. B.	*a ver* enmendado.
1442	H. R. B.	*pensáis.*
1561	H. R. B.	rondé su *calle.*
1816	H. R. B.	*Pensad.*
1919	R. B.	*consejas.*
2083	R. B.	que sois *Mendoza.*
2416	R. B.	*cosa cierta.*

Número del verso.	Ediciones.	Lecturas.
2613	R. B.	*de* Madrid.
2792	B.	A quien cortaron a cercén.
2823	H. R. B.	*Gocéis.*
2899	R. B.	yo *mismo lo vi.*
2978	R. B.	Este fresco en mi edad *es* demasiado.
3010	H. R.	La v. m. oculta: *en* s. p.
3010	B.	La v. m. oculta. *En* s. p.
3019	R. B.	*podéis.*

APÉNDICES

I

A.—Partida de matrimonio de los padres de Alarcón; México, domingo, 9 de marzo de 1572;
Libro I de Matrimonios de Españoles (1568-
1574), fol. 59, 1.ª partida; Arch. parroquial del
Sagrario en la Catedral de México.

E. COTARELO, *Los padres del autor dramático
don Juan Ruiz de Alarcón* (*Bol. de la R. Acad.
Española,* II, 9, pág. 525). Copia hallada entre
los papeles de L. Fernández-Guerra.

N. RANGEL, *Investigaciones bibliográficas.
Noticias biográficas del dramaturgo mexicano
don Juan Ruiz de Alarcón y Mendoza. Nuevos
datos y rectificaciones.* (Conclusión.) (*Bol. de
la Bibl. Naç.* de México, XI, 2 de diciembre de
1915, pág. 63.) (1) Copia comunicada por L.
González Obregón.

B.—Matrícula de Artes en la Univ. de Méx.; 19 de
octubre de 1592: *Lib. de Matríc. de Artes* (1580-
1600).

---

(1) En adelante designaremos este artículo así: Rangel, III.

Rangel, *Investig. bibliogr. Los estudios universit. de D. J. R. de A. y M.* (*Bol. de la Bibl. Nac.* de Méx., X, 1 y 2, 1913, pág. 4). (1)

C.—Asientos de los tres primeros cursos de Cánones, de junio de 1596 a 8 de agosto de 1598, en la Univ. de Méx.: *Libro de Cursos de todas las Facultades* (1597-1603), letra **J**.

Rangel, I, pág. 2.

D.—Acta sobre haber ganado el curso de Cánones del día de San Lucas de 1598 al 5 de mayo de 1599, fechada en la Univ. de Méx. este último día: Idem íd., letra **Z**.

Rangel, I, págs. 2 y 7.

E.—Probanza de diez lecciones para optar al grado de Bachiller en Cánones de la Univ. de Méx., del 17 de marzo de 1600 al 11 de abril de 1600, fechada este último día: Idem íd., letra **Z**.

Rangel, I, págs. 2 y 7.

F.—Acta sobre haber ganado "cinco meses y veinte y siete días" del 5.º de Cánones en la Univ. de Méx., desde el San Lucas de 1599 hasta el 15 de abril de 1600, fechada este último día: Idem íd., letra **Z**.

Rangel, I, págs. 2 y 8.

G.—Matrícula al 5.º de Cánones en Salamanca, a 18 de octubre de 1600: *Libro de Matrícula de 1599 a 1600. Facultad de Cánones* (comienza al fol. 26), fol. 65.

B. de los Ríos de Lampérez, *Del Siglo de Oro. Estudios literarios* (Obras completas, III), Madrid, 1910, pág. 127.

---

(1) En adelante, Rangel, I.

H.—Certificación de estudios y grados en Salamanca de 1600 a 1602, fechada en 14 de diciembre de 1861. Contiene: Bachilleramiento en Cánones, el 25 de octubre de 1600, a las 9 a. m.: *Libro de Bachilleramientos en todas facultades* (22 de abril de 1598-1605), fol. 68.—Matrícula de Leyes, 25 de octubre de 1600: *Libro de Matrículas* de 24 de noviembre de 1599 a 29 de agosto de 1600, fol. 100.—Contiene otro documento más que dejamos para después. (1)

L. Fernández-Guerra y Orbe, *Don Juan Ruiz de Alarcón y Mendoza,* Madrid, 1871, Apéndice I, pág. 513, y Apéndice II, pág. 515 (Doc. L.).

Rangel, I, pág. 9.

I.—Carta de pago de Alarcón a M. L. Garabito; Sevilla, 3 de septiembre de 1602: Arch. de Protocolos, Oficio 4, Libro II de 1602, fol. 120 *vto.*

F. Rodríguez Marín, *Nuevos datos para la biografía del insigne dramaturgo don Juan Ruiz de Alarcón,* Madrid, 1912, págs. 5 y 6.

J.—Bachilleramiento en Leyes en Salamanca, a 3 de diciembre de 1602: *Libro de Bach. en todas Fac.* de 22 de abril de 1598 a 1605, fol. 164.

L. F.-G. y O., *Op. cit.,* págs. 513 y 514. Contenido en la misma certificación de los documentos **H.**—También en la certificación del documento **L.**

K.—Matrícula de Leyes en Salamanca, 24 de octubre de 1604: *Libro de Matrículas.*

L. F.-G. y O., *Op. cit.,* págs. 22 y 470, nota 30.

---

(1) V. letra **J.**

L.—Certificación de los grados de Alarcón en Cánones y en Leyes expedida a petición de éste en la Univ. de Salamanca a 29 de julio de 1606, que figura en el expediente de licenciatura en Leyes. V. doc. **T.**

L. F.-G. y O., Apénd. II, pág. 515.

RANGEL, I, pág. 9.

M.—Poder de Alarcón a Diego López; Sevilla, 18 de mayo de 1607; Arch. de Prot., Oficio 7.º, Libro I de 1607, fol. 1075.

F. R. MARÍN, *Nuevos datos,* pág. 7.

N.—Información ante la Real Audiencia de la Casa de Contratación para la licencia de pasar a Nueva España; Sevilla, 25 de mayo de 1607: Arch. Gral. de Indias, 43, 6, 84/12, núm. 65.—Anexo al doc. **Q.**

F. R. MARÍN, *ídem,* págs. 7 y 8.

O.—Poder de Alarcón a G. Frechel, Sevilla, 29 de mayo de 1607: Arch. Prot., Of. 7.º, Libro I de 1607, fol. 1190.

F. R. MARÍN, *ídem,* págs. 7 y 8.

P.—Nombramiento de Alarcón como criado de fray Pedro Godínez Maldonado, obispo de Nueva Cáceres en Filipinas; Sevilla, 7 de junio de 1607: Arch. Gral. de Indias, anexo al doc. **Q,** lo mismo que el doc. **N.**

F. R. MARÍN, *ídem,* pág. 9.

Q.—Declaración de Alarcón para ir a Nueva España, en las diligencias de pasaje; Sevilla, 10 de junio de 1607: Arch. Gral. de Indias, Signatura 43, 6, 84/12, núm. 65.

F. R. MARÍN, *ídem,* pág. 9.

R.—Poder de Alarcón a M. de Herrera; Sevilla,

abril de 1608: Arch. Prot., Of. 7.º, Juan Luis
de Santa María, Libro I de 1608, fol. 1045.

F. R. Marín, *ídem,* pág. 15.

S.—Licencia a Alarcón para ir a Nueva España;
Sevilla, 3 de junio de 1608. (Anexo: licencia a
su secretario y criado Lorenzo de Morales, 6
de junio de 1608): Arch. Gral. de Indias, Libros de asientos de pasajeros de 1607 a 1608,
45, 1, 4/20, fols. 277 y 282.

F. R. Marín, *ídem,* pág. 16.

T.—Expediente de Licenciatura en Leyes en la
Univ. de Méx., desde el 5 de febrero de 1609
hasta el 21 de febrero de 1609, en que le fué
impuesto el grado: *Grados de doctores y licenciados en Leyes desde el año de 1570 hasta el
de 1698,* tomo I.

L. F.-G. y O., *Op. cit.,* Apénd. II, págs. 514
a 522. Copia enviada en 1861 por A. Arango y
Escandón a la R. Acad. de la Historia; copia
mandada sacar por monseñor Labastida, arzobispo de México, a solicitud del de Burgos.

Rangel, I, pág. 11: la importancia del grado.

U.—Acta del claustro pleno de la Universidad de
México, 12 de marzo de 1609, en que se lee la
petición de Alarcón sobre remisión de la pompa
en el grado de doctor en Leyes que pretende.
Arch. de la Univ. de Méx., *Libro de Claustros*
(12 de marzo de 1609-29 de noviembre de 1621).

Rangel, *Inv. bibl. Noticias biogr. del dramaturgo mexicano D. J. R. de A. y M.* etc.
(*Bol. de la Bibl. Nac.* de Méx., XI, 1, noviembre de 1915, págs. 6, 7 y 8.) (1)

(1) En adelante, Rangel, II.

V.—Crónica ms. de la Univ. de Méx. por el secretario Cristóbal de la Plaza, que termina en el año de 1689. Fragmentos relativos a las cátedras a que se opuso Alarcón: Instituta y Decreto (1609), Código e Instituta (1613).

RANGEL, II, págs. 17-21.

X.—Documentos autógrafos y asientos relativos a la oposición a la cátedra de Instituta en la Univ. de Méx., mayo de 1613: Arch. de la Univ. de Méx.; libro de expedientes sobre provisión de cátedras que comienza en 1613, primer expediente, fols. 8, 10, 12, 15, 16, 17 *vto.*, 19, 21 *vto.*, 22 *vto.*, 29, 50, 55, 55 *vto.*, 58 *vto.* y 59.

RANGEL, II, págs. 23-24, y RANGEL, III, páginas 41-54.

Y.—Carta de pago de Alarcón por suma recibida de N. Balbi en virtud de una letra de Sevilla; Madrid, 26 de enero de 1615: Diego de San Martín, 1615.

C. PÉREZ PASTOR, *Bibliografía Madrileña*, III, 1907, documento núm. I sobre Alarcón.

Z.—Carta de pago a L. Auñón; Madrid, 6 de noviembre de 1615: Andrés Calvo, 1615, fol. 1297.

C. P. P., *ídem*, núm. II.

Aa.—Poder a L. Auñón; Madrid, 5 de mayo de 1619: Andrés Calvo, fol. 391.

C. P. P., *ídem*, núm. III.

Bb.—Informe del Consejo Real de las Indias acerca de los méritos de Alarcón; Madrid, 1.º de julio de 1625: Arch. Gral. de Indias.

L. F.-G. Y O., *Op. cit.*, Apénd. III. Copia de A. Sánchez Moguel.

Cc.—Nombramiento de Relator interino con derecho a la primera vacante en favor de Alarcón; Madrid, 17 de junio de 1626. Juramento: el 19 del mismo: Arch. Gral. de Indias.

L. F.-G. y O., *Op. cit.*, Apénd. IV. Copia de A. S. M.

Dd.—Nota de pagos hechos a Alarcón por gajes de su oficio: casa de aposento, desde el 1.º de julio de 1628; ayuda de costa de la navidad, desde la de 1628; y propinas y luminarias desde 1629; Madrid, 7 de enero de 1633: Arch. Gral. de Indias.

L. F.-G. y O., *Op. cit.*, Apénd. IV. Copia de A. S. M.

Ee.—Título de Relator en propiedad en favor de Alarcón; Madrid, 13 de junio de 1633: Arch. Gral. de Indias.

L. F.-G. y O., *Op. cit.*, Apénd. V. Copia de A. S. M.

Ff.—Poder de Alarcón a D. Castroverde; Madrid, 25 de junio de 1633: Francisco de Barrios, 1619, fol. 1034.

C. P. P., *ídem*, núm. IV.

Alarcón nunca recibió el hábito de Alcántara. —(A continuación publica Pérez Pastor dos documentos sobre Ruiz de Alarcón, que designa con los núms. V y VI: el núm. V, relativo al pago de Alonso de Moncada a don Diego de Saavedra Fajardo, por la suma en que "vino empeñado un Breve para el hábito de don Juan Ruiz de Alarcón", año de 1626 (Bartolomé Gallardo, 1626); y el núm. VI, sobre el mismo "hábito de caballero de la Orden de Alcántara,

de que Su Magestad, que está en el cielo, hizo
merced a don Juan Ruiz de Alarcón", Madrid,
12 de diciembre de 1626 (1). (Arch. Hist. Nac.,
Despachos de Calatrava y Alcántara, 206 c. (2).
De estos curiosos documentos resulta, aparte
de las relaciones entre Saavedra Fajardo y
Alarcón: 1.º, que el Rey concedió a éste el hábito de Alcántara en 1619, hábito que salió en
1626, y 2.º, que "su madre y abuelo materno
no eran nobles, en que dispensó Su Santidad".
Ya parecía extraño que al pobre poeta se le
hubiera concedido un hábito y no quedara noticia por ninguna parte, y que su madre no fuera noble, cuando tanto se preciaba él de su
apellido Mendoza.—He examinado en el Archivo Histórico Nacional el documento trans-
crito por P. Pastor y, en consonancia con él,
el expediente relativo de pruebas de Alcántara,
núm. 1334: como era de esperarse, no se trata
del poeta don Juan Ruiz de Alarcón y Mendoza,
sino de don Juan Ruiz de Alarcón y Andrada
Rivadeneyra Peñalosa y Rivadeneyra, señor de
Buenache y villa de la Frontera, hijo de don
Diego Ruiz de Alarcón y de doña María de
Andrada y de Rivadeneyra. Deben, pues, des-
echarse los documentos núms. V y VI de Pérez
Pastor.)

Gg.—Testamento de Alarcón; Madrid, 1.º de agosto
de 1639: Protocolos de Lucas de Pozo.

J. O. Picón, Hallazgo Literario (El Impar-

---

(1) P. Pastor copia, equivocadamente, 4 de diciembre.
(2) El libro abarca de noviembre de 1622 a junio de
1627, y las líneas que copia P. Pastor se encuentran al
fol. 351.

cial, diario de Madrid, 27 de febrero de 1899, 1.ª plana de la hoja literaria de los *Lunes*). Descubierto y copiado por C. Pérez Pastor. (L. F.-G y O., Apénd. VIII: habíalo buscado inútilmente.)

Hh.—Partida de defunción; Madrid, 4 de agosto de 1639: Libro VIII de difuntos de la parroquia de San Sebastián de Madrid, fol. 349 *vto*.

HARTZENBUSCH, *Comedias de Alarcón*, ed. Rivadeneyra, XX, pág. XXX. Copia del cura de la parroquia, 16 de marzo de 1847.

L. F.-G. Y O., *ídem*, Apénd. IX.

II

TESTAMENTO DE DON JUAN RUIZ DE ALARCÓN

En 1.º agosto 1639.

Sello 4.º

Testamento de Don Juan de alarcón.

En el nombre de Dios Todopoderoso, amén.

Sepan quantos esta carta de testamento última voluntad vieren, como yo el licenciado Don Juan Ruiz de Alarcón y Mendoza, relator del Real Consejo de Indias, vecino de la Villa de Madrid, estando enfermo en la cama de la dolencia y enfermedad que Dios se ha servido de darme, pero en mi juicio y entendimiento natural, creyendo como creo en el misterio de la Santísima Trinidad, Padre e Hijo y Espíritu Santo, tres personas y un solo Dios verdadero, tomando como tomo por mi abogada a la Reyna de los Angeles, madre de Dios, a quien suplico ruegue a su hijo perdone mis pecados y guíe mi ánima por carrera de salvación, hago mi testamento en la siguiente manera.

Primeramente encomiendo mi ánima a Dios nuestro señor, que la crió y con su preciosísima sangre redimió, y el cuerpo, a la tierra, de donde fué formado.

Item mando que si la voluntad de Dios nuestro señor fuese la de me llevar de esta vida a la otra, mi cuerpo sea sepultado en la iglesia parroquial de señor San Sebastián, desta villa de Madrid, en la sepultura que a mis testamentarios pareciese, y se pague el derecho.

Item mando acompañen mi cuerpo las cruces de la parroquia con todos los clérigos que asisten en la dicha parroquia, y si fuese hora de celebrar misa se me diga una misa cantada con diácono y subdiácono, responso y vigilia de cuerpo presente, y si no fuese hora, otro día siguiente, asistiendo en ella los dichos sacerdotes, y se les dé el derecho.

Mando se haga mi novenario de misas cantadas con asistencia de los sacerdotes de la dicha parroquia, y de todo se paguen los derechos que es costumbre.

Mando se digan por mi ánima quinientas misas de alma por la mía, y de las de mis padres, y demás personas a quien tengo obligación, y se pague el derecho, y se digan en las partes que a mis albaceas pareciese, pagando la quarta parte a la parroquia, y le mando a las mandas forzosas ocho reales, con que les aparto de mis bienes.

Declaro que debo a Juana Bautista Díaz, viuda de Fulano Navarro, que conocen mis albaceas, cien ducados de plata doble por otros tantos que me prestó para pagar el donativo a su majestad; mando se le paguen de mis bienes.

Asimismo declaro que debo a Alonso Sacristán, maestro de hacer coches, el aderezo de un coche mío que se concertó a tasación, y los aderezos del dicho coche que han de ser, y lo dexo por lo que el dicho maestro dixere en su conciencia; y asimismo le debo al suso dicho del alquiler de la cochera del dicho coche desde diez y seis de Octubre del año pasado de seiscientos y treinta y siete lo que importa a razón de a veinte reales cada mes, y a quenta dello le tengo dados veinte reales, digo, cincuenta reales; mando se le pague lo demás.

Item declaro que debo a María Benita, mi criada, y a Gregorio Sánchez, mi cochero, de sus raciones y quitaciones y salario lo que pareciere por el libro de quenta y razón que tengo escrito de mi letra; ajustada cuenta, se les pague.

Item declaro que el capitán Bartolomé Gómez de Reynoso me debe quinientos reales en plata doble que le presté; yo le soy deudor al suso dicho de quatrocientos reales de vellón que me dió a quenta; mando se cobre lo que va de más a más lo que fuere; y asimismo me es deudor el dicho capitán de seis fanegas de cebada que le presté; mando se cobren.

Item declaro que don Francisco Fiesco me es deudor de quinientos reales en moneda de vellón, que le presté; mando se cobren. Y asimismo me debe el dicho don Francisco Fiesco quatro fanegas de cebada que le presté: mando se cobren.

Item declaro que don Luis Velázquez, mayorazgo, y Gaspar de Torre, juntos y cada uno in solidum, me son deudores por escritura que otorgaron, que está en mi poder, de cinco mil y trescientos y dos reales de vellón: mando que se cobren en cumpliéndose el plazo, que es a los fines deste presente mes de Agosto y año de la fecha deste testamento: mando se cobren.

. Item declaro que Bartolomé Spínola me es deudor de ochenta y un ducados de plata doble que presté a su magestad: mando se cobren.

Item declaro que el Recetor del Consejo de Indias me es deudor de hasta setecientos ducados de plata de mis gaxes y salarios de mi officio: mando se cobren.

Declaro que en un arca de dos llaves que tengo en casa tengo ochocientos reales de plata doble.

Item declaro que el arrendamiento de la casa en que vivo le tengo pagado hasta mediado Setiembre deste presente año, de que tengo carta de pago.

Mando asimismo a doña Magdalena de Silva, mi sobrina, una hechura de un Santo Cristo de bronce, que tengo con su caja de ébano, en señal de buena voluntad y mucho amor y voluntad que la tengo y debo, que es mi voluntad.

Item declaro que en quanto a lo que debo al dicho Alonso Sacristán, maestro de coches, por lo que hizo en el mío le debo tan solamente la hechura y mano y madera, porque las vaquetas y todo el herrage y lo demás necesario lo compré con mi dinero: declárolo ansí.

Item mando a doña María Navarro, hija de la dicha Juana Bautista, ochocientos ducados, los cuales se le den de mis bienes, y se los mando por las muchas obligaciones que confieso tenerla para ello, que esta es mi voluntad.

Item mando a doña Gregoria Navarro, hermana
de la dicha doña María Navarro, doscientos ducados, los cuales se le den de mis bienes.

Item mando a don García de Buedo, mi sobrino,
veinte ducados en vellón y un luto de bayeta.

Item mando a Matheo Díaz, mi criado, por lo bien
que me ha servido, veinticinco ducados y un luto de
bayeta, que es mi voluntad. Y declaro no le debo
nada de sus salarios.

Item mando a María Benita, mi criada, cien reales en moneda de vellón, fuera de lo que constase
por mi libro que se le deben de sus salarios.

Y para cumplir y pagar lo contenido en este mi
testamento, mandas y legados, y lo en él contenido,
nombro, dexo y establezco por mis albaceas y testamentarios a la dicha doña Magdalena de Silva y
Girón, dicha mi sobrina, y al licenciado Antonio de
León, relator del Consejo de Indias, y a don Gaspar de Deybar, agente de dicho Consejo, y al capitán Bartolomé Gómez de Reynoso, y a cada uno de
ellos in solidum doy mi poder cumplido para que,
después de yo muerto y passado desta presente vida
a la otra, entren en mis bienes ansí muebles como
rayces, deudas, derechos y acciones y los vendan y
rematen en pública almoneda o fuera de ella, y de
su valor cumplan y paguen lo en este mi testamento
contenido, y les dure el tal nombramiento todo el
tiempo que sea necesario, aunque sea pasado el año
del albaceazgo y otro mayor trascurso de tiempo,
que ésta es mi voluntad.

Mando cinquenta reales para los pobres de la parroquia, a distribución del señor Cura que es o fuere.

Y del remanente que quedare de todos mis bienes,

cumplido este mi testamento, mandas y legados y lo
en él contenido, dexo y nombro por mi heredera
universal a doña Lorença de Alarcón, mi hija y de
doña Angela Cerbantes, que la dicha mi hixa es
mujer de don Fernando Xirón, residentes en la villa
de Barchín del Hoyo, en la Mancha, para que haya
y herede los dichos mis bienes con la bendición de
Dios y la mía.

Y por este mi testamento revoco y anulo y doy
por ningunos y de ningún valor ni efecto otro qualquier testamento o testamentos, cobdicilio o cobdi-
cilios y testamentos cerrados que antes déste pareciere yo haber fecho por escripto o de palabra,
y poderes para testar, que quiero que no valgan ni
hagan fee en juicio ni fuera dél, salvo este mi testamento que ahora otorgo, que quiero que valga por
tal o por cobdicilo o por escriptura pública en aquella vía e forma que en derecho mexor lugar haya.
Y le otorgué en la villa de Madrid a primero día
del mes de Agosto de mil y seiscientos y treinta y
nueve años, siendo presentes per testigos Agustín
de Portillo y Gregorio Sánchez y el licenciado Sebastián de Castrexón y el licenciado don Juan de
Albarado, teniente de cura de San Sebastián desta
villa, y Pedro Gómez, vecinos y estantes en esta
corte, y el dicho otorgante, que yo el escribano doy
fee que conozco, lo firmó.—*Licenciado don Juan de
Alarcón.*—Ante mí, *Lucas del Poço.*

(Protocolo de Lucas del Pozo, 1627 a 1653.) (1)

_____

(1) Descubierto por C. Pérez Pastor, lo publicó J. O.
Picón en el *Lunes de "El Imparcial"* del 27 de febrero
de 1899.

III

BIBLIOGRAFÍA

Alarcón mismo publicó veinte comedias de auten-
ticidad indiscutible:

PARTE | PRIMERA DE LAS COMÉDIAS DE | DON IVAN
RUIZ DE ALARCÓN Y | Mendoça, Relator del Real
Consejo de las | Indias, por Su Magestad. | Dirigi-
das al Excelentissimo | *señor don Ramiro Felipe de
Guzmán, señor de la | Casa de Guzmán, Etc.* | CON
PRIVILEGIO. | En Madrid, por Iuan Gonçález. | Año
M.DC.XXVIII. | *A costa de Alonso Pérez, Librero
del Rey nuestro S.*—8.º, 4 fols. prs. + 179 fols.

(*Los favores del mundo [Ganar perdiendo].—La
industria y la suerte [La suerte y la industria].—
Las paredes oyen [También las p. o.].—El semejante a sí mismo.—La cueva de Salamanca.—Mudarse
por mejorarse [Por mejoría; Dejar dicha por más
dicha; Por mejoría, mi casa dejaría].—Todo es
ventura.—El desdichado en fingir.*)

PARTE | SEGVNDA | DE LAS COMEDIAS | DEL LICEN-
CIADO DON | IVAN RUIZ DE ALARCÓN | y Mendoça,
Relator del Consejo Real | de las Indias. | Dirigi-
das al Excelentissimo | *señor don Ramiro Felipe de
Guzmán, señor de la Casa de | Guzmán, Duque de
Medina de las Torres, etc.* | Año 1634. | CON LICEN-
CIA. | En Barcelona, Por Sebastián de Cormellas,
al Call.—8.º, 4 fols. prs. + 269 fols.

(*Los empeños de un engaño [Los engaños d. u.
e.].—El dueño de las estrellas.—La amistad castiga-
da.—La manganilla de Melilla.—La verdad sospechosa [El mentiroso].—Ganar amigos [Quien pri-*

va, aconseje bien; Lo que mucho vale, mucho cuesta; ídem íd., en ganar amigos; Amor, pleito y desafío].—El anticristo.— El tejedor de Segovia, [segunda parte. *Vargas y Peláez*].—*La prueba de las promesas.—Los pechos privilegiados* [*Nunca mucho costó poco*].—*La crueldad por el honor.—Examen de maridos* [*Antes que te cases, mira lo que haces*].)

A éstas se añaden las tres siguientes:

La culpa busca la pena y el agravio la venganza (*Parte cuarenta y una de comedias de varios autores,* Valencia, 1642-1650).

Quien mal anda en mal acaba, Sevilla, por Francisco de Leefdael, s. a. Aparece también con el segundo título, *Los dos locos amantes.*

Na hay mal que por bien no venga [*Don Domingo de Don Blas*] (*Laurel de comedias, cuarta parte de diferentes autores,* Madrid, 1653).

Escribió, además, la escena primera del segundo acto de la comedia *Algunas hazañas de las muchas de don García Hurtado de Mendoza,* Madrid, Diego Flamenco, 1622; obra en la que colaboró con Mira de Mescua, el Conde del Vasto, Luis de Belmonte, Luis Vélez, don Fernando de Ludeña, don Jacinto Herrera, don Diego de Villegas y don Guillén de Castro.

Se le atribuye de un modo dudoso una refundición de *El desdichado en fingir,* llamada *Quién engaña más a quién* (*Dar con la misma flor*).

* * *

Se le atribuye colaboración en las siguientes obras de Tirso: *Cautela contra cautela,* las dos partes del *Don Alvaro de Luna* y *Siempre ayuda la verdad,* donde acaso colaboraron también otros poetas. Barry supone, además, que Tirso y Alarcón colaboraron en *El árbol del mejor fruto, El burlador, La romera de Santiago, El celoso prudente, La ventura con el nombre* y *La villana de Vallecas,* donde la colaboración parece más probable (1)

* * *

No hay certeza de que sea suya la primera parte de *El tejedor de Segovia.*

IV

CRONOLOGÍA Y REPRESENTACIONES DE LAS COMEDIAS

Poco se sabe sobre esto. Hartzenbusch primero y después Fernández-Guerra pretendieron fijar esta cronología guiándose por las alusiones a sucesos contemporáneos. Pero tales alusiones no abundan en la obra de Alarcón, y es muy probable, además, que éste haya procedido por refundiciones sucesivas. Pedro Henríquez Ureña, en una sugestiva nota, propone ciertas bases o criterios que podrían ayudar al establecimiento de esta cronología: "1.º Sustitución de la moral convencional de la *comedia* por los conceptos morales propiamente alarconianos: éstos se presentan cada vez más claros y precisos. 2.º Evolución del *gracioso,* que va dejando de serlo para convertirse en criado más o menos discreto.

---

(1) Las reminiscencias de América en esta comedia, según advierte P. Henríquez Ureña, son unas veces *antillanas* (Tirso vivió en Santo Domingo algunos años), y otras veces, *mexicanas.*

Acaso la obra que señala el momento de transición
sea *Los favores del mundo* (II, 2). 3.º Fórmulas de
cortesía: acaso disminuyen a medida que está más
lejos la salida de México. Son aún muy notorias
en *La verdad sospechosa, Los favores del mundo*
y *Ganar amigos*. 4.º Alusiones a México y a personajes procedentes del Nuevo Mundo: van desapare-
ciendo con los años. 5.º Reminiscencias literarias:
las hay tanto clásicas como contemporáneas en
las comedias del primer período; luego desaparecen. Las alusiones personales sí continúan: las
relativas a Lope, primero en elogio y luego en censura, son buena ayuda cronológica. 6.º Dominio de
la técnica teatral: mayor, necesariamente, con los
años. 7.º Procedimientos de estilo: por ejemplo,
finales enumerativos de discursos, como en *La culpa busca la pena, Quien mal anda en mal acaba, La
manganilla de Melilla;* más tarde desaparecen. De-
jos culteranos, de tarde en tarde: nunca desaparecen del todo... 8.º Metros: con el tiempo paréceme
que emplea cada vez menos el endecasílabo (en que
nunca fué muy feliz) y menos aún los versos
cortos menores de ocho sílabas. Es digno de atención el empleo del soneto en *El semejante a sí mismo, Mudarse por mejorarse, La prueba de las promesas, El dueño de las estrellas, Los favores del
mundo* y *Las paredes oyen*. El soneto fué muy usado por Lope y Tirso en sus comedias... y mucho menos por el dramaturgo mexicano."

El 29 de enero de 1622 Mira de Amescua aprueba
la publicación de las ocho comedias que aparecen
en la "Parte primera", lo que permite asegurar que
para 1621 todas ellas habrían sido ya representadas.
De igual modo la aprobación de 2 de abril de 1633,

que autoriza la publicación de las doce nuevas comedias de la "Parte segunda", deja ver que para
ese año las doce se habían representado. "Fuera
de esto — dice Bonilla en su reciente edición de
No hay mal que por bien no venga—, lo único que
con fundamento puede afirmarse es que *La verdad sospechosa* fué escrita antes de 31 de marzo
de 1621, día de la muerte de Felipe III *el Santo,*
a quien se alude en la obra; que *Algunas hazañas
de... Marqués de Cañete* se publicó en 1622; que *El
Anticristo* se estrenó el miércoles 14 de diciembre
de 1623, según sabemos por una carta de don Luis
de Góngora; que *Ganar amigos* y *El examen de maridos* fueron escritas antes de 1631 (1), fecha de su
publicación como de Lope; y que *No hay mal que
por bien no venga* lo fué después de comenzado el
año de 1623, pues se alude en ella a las *golillas,* introducidas a principios de dicho año. Todas las demás conjeturas son harto aventuradas."

Procuraré, a continuación, recoger algunos datos
dispersos sobre las comedias de Alarcón:

---

(1) En una nota final, corrige: "Consta que *Ganar
amigos* se representó a la reina Isabel de Borbón en octubre de 1621, y que *Los pechos privilegiados* estaba ya
impresa en 1630 (Parte XXI de Lope)." La primera noticia
procede de un apéndice del tomo XXXIV de la Bibl. "Rivadeneyra"—donde por cierto aparece muy poco docu-
mentada—, y la recoge en su libro Fernández-Guerra,
dando esta vaga indicación: "Archivo del Real Palacio:
Libros de Cámara." Además, en nota a su edición de la
comedia de Lope *Peribáñez y El Comendador de Ocaña,*
añade el mismo Bonilla: "Consta que *La Manganilla de
Melilla* era conocida ya en agosto de 1623, y que *El Examen de Maridos* se representaba en junio de 1628."

Algunas hazañas de las muchas de don García Hurtado de Mendoça, marqués de Cañete... Madrid, Diego Flamenco, año 1622, comedia de que sólo corresponde a Alarcón la escena primera del acto II (y no las *dos* primeras, como dice Hartzenbusch y repite M. E. Barry), fué representada dos veces entre el 5 de octubre de 1622 y el 8 de febrero de 1623, según G. Cruzada Villaamil (*Datos inéditos* en "El Averiguador", 2.ª época, t. I, 1871, números 1 a 13). La primera vez la llama *Victorias del Marqués de Cañete;* la segunda, *Hazañas.* (V. A. Restori, *Piezas de títulos de comedias,* Mesina, 1903; pág. 104.)

Cautela contra cautela fué representada ante la reina doña Isabel de Borbón en diciembre de 1621 (Rivad., XXXIV, apéndice). Figura en la "Lista de comedias que en 1.º de marzo de 1624 eran propiedad de Roque de Figueroa y su esposa Mariana de Avendaño". (H. Merimée, *Spectacles et Comediens à Valencia, 1850-1630,* París-Toulouse, 1913.)

Examen de maridos: Pérez Pastor, en sus *Nuevos datos acerca del histrionismo español en los siglos XVI-XVII* (Madrid, 1901), pág. 225-6, cita una lista de obras que María de Córdoba podría representar el día de Candelas de 1633 en la villa de Duganzo de Arriba, al fin de la cual figura esta comedia de Alarcón. Con el nombre de *Antes que te cases* figura en la lista de comedias asidas en 14 de junio de 1628 a Jerónimo Amella, en Valencia.

Las paredes oyen figura en la lista de Juan Acacio y su compañía, Valencia, 13 de marzo de 1627 (V. H. Merimée, *op. cit.*).

Todo es ventura figura también en la lista de Juan Acacio, Valencia, 13 de marzo de 1627

La verdad sospechosa figura en la lista de Roque de Figueroa y Mariana de Avendaño, 1.º de marzo de 1624 (H. Merimée, *op. cit.*).

V

CATÁLOGO DE OBRAS NO TEATRALES

Son de escasísimo mérito literario y todas de ocasión. El temperamento poético de Alarcón no le consentía salir de ese tono de charla, propio del teatro, sentencioso y apenas lírico por instantes. Por totalmente desechada, hacemos punto omiso de la atribución del falso *Quijote* de Avellaneda (1614), que había sostenido Adolfo de Castro.

I. Una redondilla y cuatro décimas "consolando a una dama que está triste porque la sudan mucho las manos".

Conservadas en la Carta a don Diego de Astudillo Carrillo (Rivad., XX, xxix a), fueron hechas para el certamen de la fiesta de San Juan de Alfarache, 4 de julio de 1606 (L. F.-G., págs. 32 y siguientes). En el mismo documento figuran unos tres octosílabos dedicados al mantenedor.

II. Vejamen académico a Bricián Díez Cruzate, cuando se doctoró en la Universidad de México (¿1609-1613?).

Obra perdida. El padre Pichardo, de San Felipe Neri, a quien Humboldt cita con elogio, poseía esta pieza autógrafa en 1816 (Beristain, *Bibliot. Hispanoamericana septentrional*, México, 1816-1821, I, 37).

III. Una décima laudatoria para el *Desengaño de fortuna,* del doctor don Gutierre Marqués de Careaga, Madrid, 1612, fol. 14 vto. ("Soys Don Gutierre más fuerte").

Aprobación más antigua: Salamanca, 1607. Hartzenbusch (Rivad., XX, p. xxix) habla de una ed. de Barcelona, 1611, cuya existencia niega L. F.-G. (pág. 157).

IV. Dos redondillas en elogio de *Los más fieles amantes, Leucipe y Clitofonte, historia griega por Aquiles Tacio-Alexandrino, traduzida, censurada y parte compuesta* por don Diego Agreda y Vargas, Madrid, 1617, fol. 10 vto. ("Traduzido y tradutor—Que vuestra ventaja es tal").

Aprobación más antigua: 26 de mayo de 1617.

V. Dos quintillas en elogio de los *Proverbios morales y consejos cristianos muy provechosos para concierto y espejo de la vida, adornados de lugares y textos de las divinas y humanas letras, y Enigmas filosóficos, naturales y morales, con sus comentos; dividido en dos libros,* por el doctor Christóval Pérez de Herrera, Madrid, 1618, folio 120 vto. ("Quando las Enigmas veo—Y vos, médico excelente").

Una aprobación de 19 de diciembre de 1612.

VI. Dos redondillas a Gonzalo de Céspedes y Meneses, *Poema trágico del español Gerardo, y desengaño del amor lascivo, nuevamente corregido y enmendado en esta segunda impresión,* Madrid, 1621.—*Segunda parte del español Gerardo y desengaño del amor lascivo,* Madrid, 1621, fol. 154 ("Si del amoroso ardor—Que de suerte dissuadís").

Aprobación más antigua: 17 de diciembre de

1616.—En la primera edición—no madrileña, pero también de 1621—no figuran los versos de Alarcón. Reaparecen éstos en las de Madrid, 1623, y Lisboa, 1625, únicas que conoció L. F.-G. (445 y n. 541).

VII. Soneto a la muerte de don Rodrigo Calderón (21 de octubre de 1621).

Ms. de Hartzenbusch cit. por L. F.-G. (página 349, n. 445).

VIII. Dos sonetos "al Santo Cristo que se halló en Prete, ciudad del Palatinado Inferior, quitado de la cruz y hecho pedazos por los calvinistas, restaurado por los católicos" (Año 1621). ("Qué, ¿aún no los del imperio palestino...—Nunca visto rigor, violenta mano...")

Bibl. del R. Palacio: Ms. 19, sala 2.ª, est. N, plút. 3: *Pellizerj in Juliani Petri* (cit. por L. F.-G., 350 y n. 446).

IX. Décima en la muerte del Conde de Villamediana (21 de agosto de 1622) ("Aquí yace un maldiciente").

Bibl. Nac. Madrid, Ms. M-204, fol. 83 vto. Códice que fué de Blas Antonio Nasarre.

X. *Elogio descriptivo a las fiestas que la Majestad del Rey Felipe IIII hizo por su persona en Madrid a 21 de agosto de 1623 años, a la celebración de los conciertos entre el serenísimo Carlos Estuardo, príncipe de Inglaterra, y la serenísima María de Austria, Infanta de Castilla,* Madrid.

("Mientras la admiración avara atiende.")

Rivad., t. LII, 583.—P. Pastor, II, 175.

Octavas reales hechas por encargo del Duque de Cea y que le atrajeron las décimas satíricas de que hemos publicado frases sueltas en el prólogo. En ellas se le acusa de haberse valido de la colaboración de todos sus amigos. Salas Barbadillo le dice que recurrió a Luis de Belmonte Bermúdez. Mira de Mescua que a él le toca la mitad de lo que le pague por ellas el Duque de Cea, porque es él quien inventó "el componer de consuno". Castillo Solórzano dice que le ayudaron Belmonte, Pantaleón de Ribera, Mira de Mescua y don Diego (¿Figueroa, Muguet, Villegas?). Finalmente, en un *Comento* manuscrito de la época (Rivad., t. LII, 592) se le niega a Alarcón toda intervención en la obra, distribuyendo así sus estrofas:

Don Fernando de Lodeña............   8
Don Diego de Villegas...............   6
El doctor Mira de Mescua.........   7
Don Pedro de la Barreda...........   5
Anastasio Pantaleón de Ribera...   8
Luis de Belmonte......................   10
Juan Pablo Mártir Rizo............   6
Antonio López de Vega............   4
Manuel Ponce..........................   4
Francisco de Francia................   2
Diego Vélez de Guevara...........   6
Luis Vélez de Guevara.............   7
                                    ———
                                     73

XI. Décima a las *Novelas amorosas* de Joseph Camerino, Madrid, 1624, fol. 6 vto. ("En vuestras novelas veo").

Censura más antigua: 13 de noviembre de 1623.

XII. Soneto al *volcán y incendios del Vesuvio* (de 1631) para la obra *El Monte Vesuvio, aora monta-ña de Soma*, por el doctor don Juan de Quiñones, Madrid, 1632, fol. 13 vto. de las hs. finales ("Al Nilo, Eufrates, Ganges y Danubio").

XIII. Soneto (epigrama XXIX) al toro que mató el rey Felipe IV en las fiestas del 13 de octubre de 1631, publicado en el *Anfiteatro de Felipe el Grande*, de don José Pellicer, Madrid, 1632, folio 27 ("Al irlandés lebrel, al tigre hircano").

XIV. Soneto sobre el mismo asunto, en colabora-ción con ocho o nueve ingenios ("Tú, señor, te imitaste en el acierto").

Bibl. Nac. Madrid, Ms. 3797, fol. 183.
Poesías manuscritas, 3.
V. *Rev. Hispanique,* 1916, XXXVI, 171-176, *Ruiz de Alarcón y las fiestas de Baltasar Carlos.*

XV. Dos décimas a don Luis Pacheco de Narváez, *Historia exemplar de las dos constantes mugeres españolas,* Madrid, 1635, fol. 7 ("Destreza osten-táis, don Luis—Con tanto valiente y diestro").
Aprobado desde el 18 de febrero de 1630.

XVI (?). Cierta décima burlesca en que Alarcón propone un enigma alusivo a sus corcovas ("Si a vistas me llaman hoy").

Ms. de J. Díez (s. XVII), publicado en Riv., XXIV, pág. 587. Hartz. lo atribuye a Alarcón y lo supone hecho en la misma ocasión aludida en el número X. El *enigma* tiene una *respuesta* que comienza: "Según Calepino, estoy." Consiste el juego de ingenio en dar con el verso del *enigma,* que, traducido al latín, signifique la causa de las desgracias de Alarcón; y el verso es: "Corazón, ¿adónde voy?" *"Cor, quo vado?"* No hay razón decisiva para atribuír al propio Alarcón este *enigma* o décima burlesca. Por ficción poética pudieron poner en su boca la burla; pero él no parece haber sido afecto a bufonadas sobre la propia persona.

ÍNDICE

ESTE LIBRO SE ACABÓ DE IMPRIMIR
EN LA TIPOGRAFÍA DE "LA LECTURA"
EL DÍA VIII DE ABRIL
DEL AÑO MCMXVIII

EDICIONES DE LA LECTURA

PASEO DE RECOLETOS, 25. MADRID

CLÁSICOS CASTELLANOS

OBRAS PUBLICADAS

Santa Teresa.—LAS MORADAS. Prólogo y notas por don Tomás Navarro. (Vol. 1.º de la Bibl.) (2.ª edición.)

Tirso de Molina.—TEATRO. (*El Vergonzoso en Palacio y El Burlador de Sevilla.*) Prólogo y notas por don Américo Castro. (Vol. 2.º de la Bibl.)

Garcilaso.—OBRAS. Prólogo y notas por don Tomás Navarro. (Volumen 3.º de la Bibl.)

Cervantes.—DON QUIJOTE DE LA MANCHA. Prólogo y notas por don Francisco Rodríguez Marín, de la Real Academia Española. (Vols. 4.º, 6.º, 8.º, 10, 13, 16, 19 y 22 de la Bibl.)

Quevedo.—VIDA DEL BUSCÓN. Prólogo y notas por don Américo Castro. (Vol. 5.º de la Bibl.)

Torres Villarroel.—VIDA. Prólogo y notas por don Federico de Onís. (Vol. 7.º de la Bibl.)

Duque de Rivas.—ROMANCES. Prólogo y notas por don Cipriano Rivas Cherif. (Vols. 9.º y 12 de la Bibl.)

B.º Juan de Avila.—EPISTOLARIO ESPIRITUAL. Prólogo y notas por don Vicente G. de Diego. (Vol. 11 de la Bibl.)

Arcipreste de Hita.—LIBRO DE BUEN AMOR. Prólogo y notas por don Julio Cejador. (Vols. 14 y 17 de la Bibl.)

Guillén de Castro.—LAS MOCEDADES DEL CID. Prólogo y notas por don Víctor Said Armesto. (Vol. 15 de la Bibl.)

Marqués de Santillana.—CANCIONES Y DECIRES. Prólogo y notas por don Vicente G. de Diego. (Vol. 18 de la Bibl.)

Fernando de Rojas.—LA CELESTINA. Prólogo y notas por don Julio Cejador. (Vols. 20 y 23 de la Bibl.)

Villegas.—ERÓTICAS O AMATORIAS. Prólogo y notas por don Narciso Alonso Cortés. (Vol. 21 de la Bibl.)

Poema de Mio Cid. Prólogo y notas por don Ramón Menéndez Pidal, de la Real Academia Española. (Vol. 24 de la Bibl.)

La Vida de Lazarillo de Tormes. Prólogo y notas por don Julio Cejador. (Vol. 25 de la Bibl.)

Fernando de Herrera.—POESÍAS. Prólogo y notas por don Vicente García de Diego. (Vol. 26 de la Bibl.)

Cervantes.—NOVELAS EJEMPLARES. (*La Gitanilla, Rinconete y Cortadillo, La Ilustre Fregona, El Licenciado Vidriera, El Celoso extremeño y El Casamiento engañoso.*) Prólogo y notas por don Francisco Rodríguez Marín, de la Real Academia Española. (Vols. 27 y 36 de la Bibl.)

Fray Luis de León.—DE LOS NOMBRES DE CRISTO. Tomos I y II. Prólogo y notas por don Federico de Onís. (Vols. 28 y 33 de la Bibl.)

Fray Antonio de Guevara.—MENOSPRECIO DE CORTE Y ALABANZA DE ALDEA. Prólogo y notas por don M. Martínez de Burgos. (Vol. 29 de la Bibl.)

Nieremberg.—Epistolario. Prólogo y notas por don Narciso Alonso Cortés. (Vol. 30 de la Bibl.)

Quevedo.—Los Sueños. Prólogo y notas por don Julio Cejador. (Vols. 31 y 34 de la Bibl.)

Moreto.—Teatro *(El lindo don Diego y El desdén con el desdén.)* Prólogo y notas por don Narciso Alonso Cortés. (Vol. 32 de la Bibl.)

Rojas.—Teatro. *(Entre bobos anda el juego y Del Rey abajo ninguno.)* Prólogo y notas por don Federico Ruiz Morcuende. (Volumen 35 de la Bibl.)

PRECIOS: En rústica, 3 pesetas; encuadernado en tela, 4; ídem en piel, 5.

CIENCIA Y EDUCACIÓN

PUBLICADOS

P. Natorp. *Pedagogía social.* Traducción del alemán por Angel Sánchez Rivero. Precio: 6 pesetas rústica, 7,50 tela.

Rein. *Resumen de Pedagogía.* Traducción del alemán por Domingo Barnés. Precio: 1,50 pesetas rústica, 2,50 tela.

Davidson. *La Educación griega.* Traducción del inglés por Juan Uña. Precio: 3 pesetas rústica, 4 tela.

H. Weimer. *Historia de la Pedagogía.* Traducción del alemán por Gloria Giner de Ríos. Precio: 2,50 pesetas rústica, 3,50 tela.

P. Natorp. *Curso de Pedagogía general.* Traducción del alemán por María de Maeztu. Precio: 1,50 pesetas rústica, 2,50 tela.

R. Altamira. *Filosofía de la Historia y Teoría de la civilización.* Precio: 2 pesetas rústica, 3 tela.

Abel Rey. *Lógica.* Traducción por Julián Besteiro. Precio: 6 pesetas encuadernación tela.

Adolfo Posada, Felipe Clemente de Diego y otros. *Derecho usual.* Precio: 8 pesetas encuadernación tela.

Barth. *Pedagogía.* Tomos I y II: Parte general y parte especial. Traducción del alemán por Luis Zulueta. Precio: 6 y 4 pesetas tela.

Abel Rey. *Etica.* Traducción por Manuel García Morente. Precio: 5 pesetas encuadernación tela.

Abel Rey. *Psicología.* Traducción por Domingo Barnés. Precio: 5 pesetas encuadernación tela.

Francisco Giner de los Ríos. *Ensayos sobre educación.* Precio: 6 pesetas rústica, 7,50 tela.

Brackenbury. *La Enseñanza de la Gramática.* Traducción del inglés por Alicia Pestana. Precio: 1,50 pesetas rústica, 2,50 tela.

Gibbs, Levasseur y Sluys. *La Enseñanza de la Geografía* (monografías). Traducción y prólogo por Angel Rego. Precio: 2 pesetas rústica, 3 tela (2.ª edición).

Lavisse, Monod, Altamira y Cossío. *La Enseñanza de la Historia* (monografías). Traducción por Domingo Barnés. Precio: 1,50 pesetas rústica, 2,50 tela.

Edmundo Lozano. *La Enseñanza de las Ciencias físicas y naturales.* Precio: 2 pesetas rústica, 3 tela (2.ª edición).

Compayré. *Pestalozzi y la Educación elemental.* Traducción por Angel Rego. Precio: 1,50 pesetas rústica, 2,50 tela.

Compayré. *Herbart.* Traducción por DOMINGO BARNÉS. **Precio:** 1,50 pesetas rústica, 2,50 tela.

Compayré. *Herbert Spencer.* Traducción por DOMINGO BARNÉS. **Precio:** 1,50 pesetas rústica, 2,50 tela.

Pestalozzi. *Cómo enseña Gertrudis a sus hijos.* Traducción del alemán por LORENZO LUZURIAGA. Precio: 3,50 pesetas rústica, 5 tela.

Herbart. *Pedagogía general y Escritos pedagógicos.* Traducción del alemán por LORENZO LUZURIAGA, y prólogo de JOSÉ ORTEGA GASSET. Precio: 3,50 pesetas rústica, 5 tela.

Julián Besteiro. *Los juicios sintéticos "a priori" según Kant.* Precio: 1 peseta rústica, 2 tela.

Luis Zulueta. *El Maestro.* Precio: 0,60 pesetas rústica, 1,50 tela.

Pestalozzi. *El Método.* Traducción del alemán por LORENZO LUZURIAGA. Precio: 0,50 pesetas rústica, 1,50 tela.

Milton. *De Educación.* Traducción del inglés por NATALIA COSSÍO. Precio: 1 peseta rústica, 2 tela.

Vives. *Tratado del alma.* Traducción por JOSÉ ONTAÑÓN. **Precio:** 4 pesetas rústica, 5,50 tela.

Montaigne. *Ensayos pedagógicos.* Traducción, prólogo y notas por LUIS DE ZULUETA. Precio: 3 pesetas rústica, 4,50 tela.

Welpton. *Educación física e higiene.* Traducción de RICARDO RUBIO. Precio: 5 pesetas rústica, 6,50 tela.

Gonzalo R. Lafora. *Los niños mentalmente anormales.* **Precio:** 6,50 pesetas rústica, 7,50 tela.

Manuel B. Cossío. *El maestro, la escuela y el material de enseñanza.* Precio: 1 peseta.

J. Sánchez de Toca. *Las cardinales directivas del pensamiento contemporáneo en la filosofía de la historia.* Precio: 3,50 pesetas en rústica.

LIBROS ESCOLARES

Publicados (ENCUADERNADOS EN TELA).

ARITMÉTICA.—GRADOS 1.º, 2.º y 3.º, por Luis Gutiérrez del Arroyo. *Precio: 0,50, 0,75 y 1 peseta.*

CIENCIAS FÍSICO-QUÍMICAS.—GRADO 3.º, por Edmundo Lozano. *Precio: 1,50 pesetas.*

HISTORIA UNIVERSAL.—RESUMEN, por Lavisse, traducción y adaptación por J. Deleito. *Precio: 2 pesetas.*

HISTORIA NATURAL, por Francisco de las Barras. *Precio: 1,50 pesetas.*

EL CONDE LUCANOR.—Adaptado para los niños por Ramón M. Tenreiro, ilustrado por A. Vivanco. *Precio: 75 céntimos.*

LA VIDA ES SUEÑO.—Drama de Calderón de la Barca, adaptado a manera de cuento por Ramón M.ª Tenreiro, ilustrado por F. Marco. *Precio: 75 céntimos.*

HERNÁN CORTÉS Y SUS HAZAÑAS, por la Condesa de Pardo Bazán, ilustrado por A. Vivanco. *Precio: 75 céntimos.*

PLATERO Y YO.—ELEGÍA ANDALUZA, por Juan Ramón Jiménez, ilustrado por Fernando Marco. *Precio: 75 céntimos.*

FÁBULAS LITERARIAS.—Por Tomas de Iriarte, ilustradas por P. Muguruza. *Precio: 60 céntimos.*

EL CALIFA CIGÜEÑA y otros cuentos, de W. Hauff, narrados por R. M. Tenreiro, ilustraciones de P. Muguruza. *Precio: 75 céntimos.*